Cy...

Rys... ...
Chyfoes i Gynnyrch Cymru

Wales on a Plate

Traditional and New Recipies for
Welsh Produce

Nerys Howell

Bu Nerys yn gweitho ym myd bwyd a diod ers dros ddeng mlynedd ar hugain ac erbyn heddiw mae'n rhedeg ei chwmni ei hun, yn arbenigo mewn darparu cyngor a chymorth i gwmnïau bwyd a diod yng Nghymru. Dechreuodd ei diddordeb yn y byd hwn pan oedd yn ferch fach wrth dreulio wythnosau gwyliau'r ysgol ar ffermydd ei Mam-gu a'i Thad-cu yn Llangeler a Chapel Iwan, Sir Gaerfyrddin. Yno gwelodd yr hadau yn tyfu yn gnydau, cafodd gasglu wyau o'r cwt ieir, tynnu riwbob o'r berllan, codi tatws, bwydo'r lloi, godro, plufio, crafu tatws a helpu yn y gegin. Bu dylanwadau coginio ei mam a'i dwy fam-gu yn allweddol wrth iddi benderfynu ar ei gyrfa. Wedi astudio cwrs rheoli arlwyo am bum mlynedd, aeth i weithio yn y maes hwnnw gyda'r Awdurdod Iechyd yng Nghaerdydd, Surrey a Bryste. Ar ôl dysgu sgiliau coginio ar gyfer niferoedd mawr, penderfynodd fynd ati i feistroli'r grefft a symudodd i Lundain gan ymuno ag Ysgol Fwyd a Diod Prue Leith yn Notting Hill. Enillodd ganmoliaeth uchel ac aeth ati i weithio yng Ngroeg i deulu un o wleidyddion enwog San Steffan ar y pryd. Wedi dychwelyd i Lundain, bu'n gweithio mewn tŷ bwyta yn y ddinas, coginio ciniawau i gyfarwyddwyr cwmni yn Park Lane, a rheoli tai bwyta gan

gynnwys y tŷ bwyta llysieuol cyntaf yn Oxford Street, gan ymuno fel rheolwr rhanbarthol yn ddiweddarach gyda Compass – un o'r cwmnïau arlwyo mwyaf. Dychwelodd i Gymru yn 1996 a dechreuodd gyflwyno eitemau bwyd a diod yn rheolaidd ar S4C, BBC Cymru a HTV. Recordiwyd tair gyfres o 'Pryd o Dafod' gyda Dudley a bu'n feirniad ar 'Chez Dudley' a 'Casa Dudley' gyda Bryn Williams. Gwnaeth waith ymchwil ar ryseitiau y 1920au a'r Ail Ryfel Byd ar gyfer rhaglen BBC 'The Coalhouse'. Bu hefyd yn gweithio i nifer o gyrff cyhoeddus a chwmnïau preifat ers 1999. Ei phrosiect cyntaf oedd trefnu rhaglen o weithgareddau bwyd yn Eisteddfod yr Urdd, Bro Conwy yn 2000 ac ers hynny mae wedi teithio'r byd yn hyrwyddo bwyd a diod Cymru'r Gwir Flas yn Sydney, Paris, Hong Kong, San Francisco, Dubai ac Efrog Newydd ar ran Llywodraeth Cynulliad Cymru. Sefydlwyd Ymgynghoriaeth Bwyd Howel (www.howelfood.co.uk) yn 2005 ac mae'r cwmni'n mynd o nerth i nerth o dan arweiniad Nerys.

Nerys Howell

Nerys has been working in the food and drink industry for over thirty years, and now runs her own company specialising in offering advice and support to food companies in Wales. Her interest in food began as a young child, spending holidays on her grandparents' farms in both Llangeler and Capel Iwan. Whilst there, she experienced seeds growing into crops, collecting the eggs, getting fresh rhubarb from the orchard, picking new potatoes, feeding the calves, milking, plucking the poultry, peeling the potatoes and helping in the kitchen. The influence of both grandmothers and her mother's cooking decided her choice of career in the food industry. She attended a catering management course for five years, and then found employment in that field with the Health Authority at Cardiff, Surrey and Bristol. After learning how to prepare meals for large quantities of people, she decided to master the skill, and moved to London to join the Prue Leith School of Food and Drink in Notting Hill. Whilst there, she was highly praised, and she moved to Greece to work for the family of a well-known Westminster politician. On her return to London, Nerys worked in a restaurant in the city, prepared meals for company directors in Park Lane, and managed the first vegetarian restaurant in Oxford Street. She later joined Compass, a large catering company as a regional manager. She returned to Wales in 1996, and started presenting various food and drink items on S4C, BBC Wales and HTV. Three series' of 'Pryd o Dafod' with Dudley were recorded, and she was one of the adjudicators on 'Chez Dudley' and 'Casa Dudley' with Bryn Williams. She researched 1920s and World War II recipes for the BBC television programme 'The Coalhouse', and has worked for several private companies and public bodies since 1999. Her very first project was to arrange a varied programme based on food and drink in the Urdd Eisteddfod at Conwy in 2000, and since then has travelled the world promoting the food and drink of Wales – Sydney, Paris, Hong Kong, San Francisco, Dubai and New York on behalf of the National Assembly for Wales. Howel Food Consultancy (www.howelfood.co.uk) was established in 2005, and has been going from strength to strength.

Cynnwys

Contents

Cydnabyddiaeth

Cydnabyddir yn ddiolchgar gydweithrediad yr holl gynhyrchwyr wrth roi eu caniatâd i dynnu'r lluniau ar gyfer y gyfrol hon; hefyd Is-adran Datblygu Bwyd, Pysgodfeydd a'r Farchnad, Cynulliad Cymru am gael defnyddio adnoddau eu llyfrgell luniau.

Acknowledgement

The publishers gratefully acknowledge the co-operation of all the producers who gave their permission for taking the photographs for this book; also to the Food Fisheries Market Development Division (FFMDD) of the Welsh Assembly for the use of their library photographs.

Cyflwyniad
gan Nerys Howell

Introduction
by Nerys Howell

Byddaf yn cael fy holi yn aml 'Beth yw bwyd Cymreig'?

Fy ateb yw mai bwyd y werin yw'n seigiau traddodiadol ni a bod gennym ddiwylliant bwyd gwahanol i wledydd eraill. Ryseitiau yn seiliedig ar gynnyrch safonol a thymhorol sydd ar gael ledled y wlad gan amrywio o ardal i ardal, yn dibynnu ar y cynnyrch oedd ar gael. Erbyn heddiw mae llawer o'r hen ryseitiau wedi'u colli a ryseitiau newydd yn ymddangos dan ddylanwad gwledydd tramor a'r amrywiaeth eang o gynhwysion sydd ar gael mewn siopau ledled y wlad. Cawn gyfuniad o'r hen a'r newydd yn y llyfr hwn gydag ychydig nodiadau am hanes a threftadaeth ein coginio o dan bob pennawd.

Mae'r hen ryseitiau wedi'u trosglwyddo o genhedlaeth i genhedlaeth ac maen nhw'n perthyn i'r tirlun a natur a gwaith y gymdeithas leol. Mae'r ryseitiau newydd yn adlewyrchu'r dylanwadau arnaf – dysgu am dyfu a pharatoi bwyd i weithwyr fferm gyda'r ddwy fam-gu, coginio gartref gyda Mam a'r amser a dreuliais yn byw a choginio dramor.

Caf fy ysbrydoli wrth hel atgofion am fy mhlentyndod a'r amseroedd a dreuliais ar y fferm yn ystod pob gwyliau ysgol, yn dilyn taith y cynnyrch o'r ddaear i'r plât. Erbyn hyn mae'r rhod wedi troi ac mae'n braf gweld twf yn y Ffeiriau Bwyd a'r Marchnadoedd Ffermwyr sy'n gwerthu cynnyrch ffres y wlad – fel roedd pob marchnad yn ei wneud ers talwm.

Fel rhan o'm gwaith, byddaf yn annog cogyddion a pherchnogion tai bwyta a gwestai Cymru i gynnig cynnyrch lleol ar eu bwydlenni ac mae'r cynnydd yn y nifer o fwytai da sydd ar gael erbyn hyn yn brawf o'r cynnyrch safonol sydd gennym yng Nghymru.

A question that I am frequently asked is 'What is Welsh food'?

The answer I give is that our traditional food is the cooking of the ordinary folk of Wales, and that we have our own unique food culture. Welsh recipes are based on good quality seasonal products that are widely available, with regional varieties depending on availability from area to area. By now, several of the original Welsh recipes have disappeared with new recipes appearing, influenced by food from all over the world. We have a combination of old and new in this book, with some history and heritage notes on the food in each chapter.

The old recipes were handed down from generation to generation and they reflect the availability of local produce. The new recipes reflect the influences upon me as a child – growing and preparing food for the farm workers with both my grandmothers, cooking at home with my mother, and they also reflect the time I have spent living and working abroad.

I also draw from childhood memories, spending every holiday on the farm, and being able to follow the products from the soil to the plate. By now, attitudes and consumerism have changed and I welcome the growth in Food Fairs and Farmers Markets, selling fresh local products, as in days gone by.

As part of my work, I encourage chefs and restaurant owners to include local, good quality produce on their menus, and the increase in the number of good eating places available in Wales represent the high quality of Welsh produce.

TABL CYFNEWID PWYSAU
WEIGHT CONVERSION TABLE

¼ owns/oz – 7 g
½ owns/oz – 10 g
¾ owns/oz – 20 g
1 owns/oz – 25 g
1½ owns/oz – 40 g
2 owns/oz – 50 g
2½ owns/oz – 60g
3 owns/oz – 75 g
4 owns/oz – 110 g
5 owns/oz – 150 g
6 owns/oz – 175 g
7 owns/oz – 200 g
8 owns/oz – 225 g
9 owns/oz – 250 g
10 owns/oz – 275 g
11 owns/oz – 310 g
11½ owns/oz – 330 g
12 owns/oz – 350 g
½ pwys/lb – 225 g
1 pwys/lb – 450g
1½ pwys/ 1½ lb – 700g
2 bwys/lb – 900g
3 phwys/lb – 1.35 cilo
7 bwys/lb – 3 cilo 150g

TABL CYFNEWID TYMHEREDD
TEMPERATURE CONVERSION TABLE

NWY/GAS	°F	°C
½	250	120
1	275	140
2	300	150
3	325	160
4	350	180
5	375	190
6	400	200
7	425	220
8	450	*
9	475	*

TABL CYFNEWID HYLIFAU
FLUID CONVERSION TABLE

2 owns hylifol/fl oz – 55 ml
3 owns hylifol/fl oz – 75 ml
4 owns hylifol/fl oz – 100 ml
5 owns hylifol/fl oz (¼ peint/pint) – 150 ml
7 owns hylifol/fl oz – 200ml
8 owns hylifol/fl oz – 250 ml
10 owns hylifol/fl oz (½ peint/pint) – 275 ml
12 owns hylifol/fl oz – 330 ml
15 owns hylifol/fl oz ¾ peint/pint) – 425 ml
1 peint/pint – 570 ml
1¼ peint/pint – 725 ml
1½ peint/pint – 850 ml
1¾ peint/pint – 1 litr
2 beint/pint – 1.2 litr
2½ peint/pint – 1.5 litr
3 peint/pint – 1.75 litr
4–5 peint /pint– 2.25–2.8 litr
1 galwyn/gallon – 4.5 litr

Ryseitiau Traddodiadol
Dynodir ryseitiau traddodiadol gyda'r llythyren (**T**) – casglwyd oddi ar gof gwlad, heb eu profi'n benodol ar gyfer y gyfrol hon

Traditional Recipies
Traditional recipies are marked with the letter (**T**) – these were collected from folk memory, and have not been specially tested for this book.

GEIRFA

blawd ceirch – *oatmeal*
brenhinllys – *basil*
brwyniaid – *anchovies*
canol lwyn – *tenderloin*
catwad – *chutney*
cennin syfi – *chives*
ceuled – *curd*
corbwmpen – *courgette*
enllyn – *dressing*
erfinen (meipen)– *turnip*
golwyth – *chop/cutlet*
gwyniedyn – *sewin*
haidd perlog – *pearl barley*
llawryf – *bay*
mwstard grawn cyflawn – *wholegrain mustard*
panas – *parsnips*
peilliad – *wheat flour*
rhesel weiren – *wire rack*
rhinflas – *essence*
rhuddygl poeth – *horseradish*
rwdan (swejen) – *swede*
sbigoglys – *spinach*
sialots – *shallots*
sibwns – *spring onions*
wylys – *aubergine*

O'r Felin i'r Gegin

From Mill to Kitchen

O'r Felin i'r Gegin

Mae gwybod o ble mae'r bwyd yr ydym yn ei fwyta yn tarddu yn bwysig iawn y dyddiau hyn – ond mae plant Cymru wedi bod yn canu am hynny ers degawdau! Pan oeddwn i'n ferch fach yn Ysgol Ynys-wen, Treorci byddwn innau'n canu'r emyn poblogaidd hwnnw bob Diolchgarwch:

> Tu ôl i'r dorth mae'r blawd
> Tu ôl i'r blawd mae'r felin,
> Tu ôl i'r felin draw ar y bryn
> Mae cae o wenith melyn.

Y cynnyrch, y grefft a'r bwyd ar y plât – dyna ichi wych! Y grefft yn yr achos uchod yw crefft y melinydd wrth gwrs. Byddaf wrth fy modd yn ymweld â'r melinau dŵr sy'n dal i weithio ledled Cymru a phrynu'r cynnyrch yn y fan a'r lle. Nid nepell o'm cartref mae Melin Bompren ar safle Amgueddfa Werin Cymru, Sain Ffagan ac ym mhen eithaf arall y wlad, yn Llanddeusant, Môn, rwyf wedi cael y fraint o ryfeddu at Felin Llynnon, yr unig felin wynt sydd wedi'i hadfer ac sy'n dal i droi a chynhyrchu blawd. Mae melin ddŵr Bacheldre yn Nhrefaldwyn hithau'n cynhyrchu dros ddwsin o wahanol fathau o flawd ac wedi ennill nifer o wobrau gan gynnwys gwobr 'Y Gwir Flas'.

Mae tyfu ŷd, malu blawd a choginio bara wedi bod yn rhan hanfodol o fywyd Cymru ers miloedd o flynyddoedd. Roedd ynys y melinau gwynt yn cael ei galw'n 'Môn, Mam Cymru' wrth gwrs, gan fod digon o ŷd yn cael ei dyfu yno, yn ôl yr hen air, i fwydo'r wlad i gyd.

With dreulio gwyliau ysgol ar fferm Tad cu a Mam gu yn Saron, Llangeler, byddem yn aml yn teithio i Felin Cenarth gyda sachaid o wenith i'r melinydd cyn dychwelyd wedyn i nôl y blawd. Peth anghyffredin – 'trêt' i ni – oedd cael torth o fara gwyn siop gan y byddai Mam-gu yn crasu bara yn yr Aga o leia ddwywaith i deirgwaith yr wythnos a byddwn wrth fy modd yn torri'r crwstyn i'w fwyta'n ffres yn syth wedi'i bobi!

Am ganrifoedd, byddai bara ceirch yn cael eu coginio ar faen crasu ar radell ar dân agored. Yn ddiweddarach, rhoddwyd burum yn y toes i bobi bara. Mae un o'n chwedlau cynharaf, chwedl Morwyn Llyn y Fan Fach, yn dangos hoffter y brodorion cynnar o'r bara arbennig a gyflwynwyd i Gymru gan yr amaethwyr cynharaf.

Mae bri ar 'fara cartref' yn y wlad o hyd, gydag offer a thechnegau diweddar yn hwyluso'r grefft erbyn hyn. Yn yr hen ddyddiau, byddai'r fam yn trosglwyddo'r cyfrinachau i'r ferch ar yr aelwyd ac roedd cael enw da am ei bara yn destun balchder mawr.

Beth am roi cynnig ar wneud bara cartref? Nid oes arogl gwell nag arogl bara ffres yn y gegin.

From Mill to Kitchen

These days, knowing where our food originates is of utmost importance – but the children of Wales have been singing about this for decades! When I was a young girl at Ysgol Ynys-wen, Treorci, we would sing this popular hymn every Harvest Thanksgiving:

> Behind the loaf is the flour
> Behind the flour is the mill
> Behind the mill far away on the hill
> There's a field of golden wheat.

The product, the craftsmanship and the food on the plate – isn't that wonderful! In this case, the craftsmanship was that of the miller. I love visiting the Welsh water mills that are still in operation today across Wales and buy their products on the spot. Near my home one can visit Melin Bompren in the Museum of Welsh Life in Sain Ffagan and at the other end of the country, in Llanddeusant on the Isle of Anglesey, I have stood in amazement whilst looking at Melin Llynnon, the only restored windmill still milling flour today. Melin Bacheldre in Montgomeryshire produces over a dozen different types of flours and has won numerous awards, including the 'True Taste' award.

Growing corn, milling flour and bread making has been an essential part of Welsh life for thousands of years. Anglesey, the island of windmills, was called 'Môn, Mam Cymru' ('Anglesey, the Mother of Wales') as it was reputed to have enough corn growing to feed the whole country.

We often travelled to Melin Cenarth from my grandparents' farm at Saron, Llangeler, where I stayed during the school holidays. We would give the miller a sack of wheat and returned later to collect the flour. It was unusual for us – a real treat – to eat a shop-bought white loaf as Mam-gu baked bread in the Aga at least twice or three times a week. I used to enjoy eating the crust of the fresh loaf, still warm from the oven!

For centuries, oatcakes were baked on griddles placed on baking stones by the open fire. Later, yeast was added to the dough and bread was baked. One of our earliest legends, that of 'Morwyn Llyn y Fan Fach' ('The Lady of Llyn y Fan Fach Lake'), shows how the early natives enjoyed the special bread introduced to Wales by the earliest farmers.

Home baked bread it still popular and the use of modern techniques and equipment has made the process much easier. In days gone by baking secrets would be passed on from mother to daughter and a reputation for baking good bread would be a great source of pride.

Why not try baking your own bread? There isn't a more wonderful smell than that of freshly baked bread in the kitchen.

BARA CEIRCH (T)

3 llond llwy fwrdd o ddŵr poeth
hanner llond llwy fwrdd o saim cig mochyn
4 llond llwy fwrdd o flawd ceirch gweddol fân
pinsied o halen

Toddwch y saim yn y dŵr, yna ychwanegwch y blawd ceirch a'i dylino'n dda. Rholiwch y toes yn denau a'i dorri'n gylchoedd. Craswch ar radell weddol boeth, neu mewn padell ffrio, am tua 10 munud.

BISGEDI CEIRCH

225 g/8 owns o flawd ceirch mân
50 g/2 owns o flawd plaen
50 g/2 owns o siwgwr
2 lond llwy fwrdd o laeth
75 g/3 owns o fenyn heb halen
hanner llond llwy de o bowdwr codi
chwarter llond llwy de o bowdwr tartar
hanner llond llwy de o halen

Poethwch y ffwrn (nwy 5/375°F/190°C). Cymysgwch y cynhwysion sych mewn powlen cyn rhwbio'r menyn iddynt. Ychwanegwch y llaeth a'i dylino'n does meddal. Rholiwch y toes a'i dorri'n gylchoedd tua 5 cm/1 fodfedd. Craswch am 20 munud. Bwytewch gyda chaws, marmalêd neu fêl.

SLAPAN (T)

225 g/hanner pwys o flawd
50 g/2 owns o siwgwr
50 g/2 owns o gyrens
50 g/2 owns o fenyn
2 wy
llaeth
hanner llond llwy de o bowdwr codi

Curwch y menyn i'r blawd. Ychwanegwch yr wyau wedi'u curo'n dda ac yna'r cynhwysion eraill. Cymysgwch ychydig o laeth i'r cymysgedd fel nad yw'n rhy dew. Codwch lwyeidiau ar radell a'u crasu ar y tân. Torrwch ar eu hyd a thaenu menyn arnynt cyn eu bwyta.

Melin Llynnon, Llanddeusant, Môn
– yr unig felin wynt sy'n dal i falu yng Nghymru
– the only surviving working windmill in Wales

OATCAKES (T)

3 tablespoon hot water
half tablespoon bacon fat
4 tablespoons fairly fine oatmeal
a pinch of salt

Melt the fat in the water, then add the oatmeal and knead well. Thinly roll out the dough and cut into rounds. Bake on a fairly hot griddle, or in a frying pan, for about 10 minutes.

OAT BISCUITS

225 g/8 oz fine oatmeal
50 g/2 oz plain flour
50 g/2 oz sugar
2 tablespoons milk
75 g/3 oz unsalted butter
half teaspoon baking powder
quarter teaspoon cream of tartar
half teaspoon salt

Pre-heat the oven (gas mark 5/375°F/190°C). Mix the dry ingredients in a bowl and rub in the butter until it resembles fine breadcrumbs. Add the milk and knead until the mixture forms a soft dough. Roll and cut the dough into 5 cm/1 inch rounds. Bake for 20 minutes. Serve with cheese, marmalade or honey.

'SLAPAN' (T)

225 g/half lb flour
50 g/2 oz sugar
50 g/2 oz currants
50 g/2 oz butter
2 eggs
milk
half teaspoon baking powder

Beat the butter into the flour. Stir in the well-beaten eggs and then the rest of the ingredients. Add some milk so that the mixture isn't too thick. Pour spoonfuls onto a griddle and bake. Slice lengthways and spread with some butter before eating.

BARA FFIGYS A PHUPUR DU MÂL

Digon i 12

650 g/1 pwys 7 owns o flawd gwyn cryf Bacheldre
3 llond llwy de o bupur du wedi'i falu
2 lond llwy de o halen
1 pecyn 7 g/chwarter owns o furum hawdd ei
gymysgu
2 lond llwy fwrdd o olew olewydd
225 g/8 owns o ffigys sych, parod i'w bwyta,
wedi'u torri'n fras

Mewn powlen fawr gynnes, cymysgwch y blawd, y pupur, yr halen a'r burum. Ychwanegwch yr olew olewydd a digon o ddŵr cynnes i ffurfio toes meddal. Rhowch y toes ar fwrdd â blawd wedi'i ysgeintio arno a'i dylino am 10 munud nes bydd yn llyfn ac fel elastig. Gosodwch mewn powlen lân gyda chlingffilm drosto a'i adael mewn lle cynnes am ryw awr nes bydd y toes wedi chwyddo i ddwywaith ei faint.

Poethwch y ffwrn (nwy 6/350°F/180°C). Rhowch y toes ar fwrdd gyda blawd arno a thylino'r darnau ffigys i mewn iddo'n ofalus, ond heb ordylino. Siapiwch y toes yn hirgrwn a'i roi ar dun pobi wedi'i iro ag olew. Slaesiwch ben y dorth â siswrn a thaenu blawd drosti cyn ei rhoi'n ôl mewn lle cynnes i godi am yr eilwaith am ryw 15-20 munud. Craswch am ryw 40 munud nes bod y dorth yn swnio'n wag pan fyddwch yn curo'i gwaelod. Gadewch iddi oeri ar resel weiren. Gellir gweini'r bara gyda chosyn mawr o gaws megis caws Gorwydd Caerffili neu gaws Perl Las.

Marchnadoedd /Markets
Abertawe, Caerfyrddin a Hwlffordd
Swansea, Carmarthen and Haverfordwest

FIG AND CRACKED PEPPERCORN BREAD

Serves 12

650 g/1 lbs 7 oz strong Bacheldre white flour
3 teaspoons cracked black peppercorn
2 teaspoons salt
1 x 7 g/1 quarter oz sachet easy blend yeast
2 tablespoons olive oil
225 g/8 oz dried, ready-to-eat figs, roughly cut

In a large bowl, mix together the flour, pepper, salt and yeast. Add the olive oil and enough warm water to form a soft dough. Knead well on a floured surface for 10 minutes until smooth and elastic. Place in a clean bowl, cover with cling film and leave to stand in a warmish place for about 1 hour, or until it has doubled in size.

Meanwhile pre-heat the oven (gas mark 6/350°F/180°C). Transfer the dough onto a floured surface and knead in the figs, taking care not to over-knead. Shape the dough into an oval and place on an oiled baking sheet. Slash the surface with a pair of scissors and sprinkle with flour before leaving to rise once more for about 15-20 minutes. Bake for 40 minutes or until the loaf sounds hollow when you tap the base. Leave to cool on a wire rack. Serve with a generous chunk of cheese such as Gorwydd Caerphilly or Perl Las.

FFLAPJACS

320 g/11 owns o geirch organig bras
225 g/8 owns o fenyn
110 g/4 owns o siwgwr coch demerara
50 g owns o siwgwr muscovado tywyll
2 lond llwy fwrdd o driog melyn

Poethwch y ffwrn (nwy 4/350°F/180°C). Toddwch y triog melyn, y menyn a'r siwgwr ar wres isel. Cymysgwch yn iawn cyn ychwanegu'r ceirch a chymysgu popeth yn dda unwaith eto. Gwasgwch y cymysgedd i dun sgwâr bas nad yw'n glynu (tua 18 cm/7 modfedd) a'i grasu am 25-30 munud. Tynnwch o'r ffwrn a'i adael i oeri yn y tun am 10 munud. Yna gwnewch farciau 12 bisged ar yr wyneb a'u gadael i oeri'n llwyr cyn eu tynnu o'r tun.

BISGEDI CEIRCH, SIOCLED GWYN A LLUGAERON

110 g/4 owns o fenyn wedi'i feddalu
llond llwy de o rinflas fanila
225 g/8 owns o siwgwr coch
1 wy
55 ml/2 owns hylifol o laeth
275 g/10 owns o flawd plaen
llond llwy de o bowdwr codi
175 g/6 owns o fotymau siocled gwyn bychain
110 g/4 owns o lugaeron sych
50 g/2 owns o geirch

Rhowch y menyn, y fanila, y siwgwr, yr wy, y llaeth y blawd a'r powdwr codi mewn prosesydd bwyd a'u cymysgu nes byddant yn llyfn. Arllwyswch y cymysgedd i bowlen fawr ac yna ychwanegwch y siocled, y ceirch a'r ffrwythau. Rhowch ddwy lond llwy fwrdd ar y tro ar dun pobi wedi'i iro a chraswch am 12-15 munud (nwy 4/350°F/180°C) nes y byddant yn euraidd. Gadewch i'r bisgedi oeri ar yr hambwrdd am 5 munud cyn eu rhoi ar resel weiren i oeri'n llwyr. (Gellir defnyddio siocled tywyll a resins yn lle siocled gwyn a llugaeron pe dymunech.)

FLAPJACKS

320 g/11 oz rough organic oats
225 g/8 oz butter
110 g/4 oz demerara sugar
50 g/2 oz dark muscovado sugar
2 tablespoons golden syrup

Pre-heat the oven (gas mark 4/350°F/180°C). Melt the syrup, butter and sugar over a low heat. Stir well before adding the oats and mix thoroughly. Press the mixture into a shallow non-stick square baking tray (approx. 18 cm/7 inch) and bake for 25-30 minutes. Remove from the oven and leave to cool in the tin for 10 minutes. Then mark the surface into 12 fingers and leave to cool completely before removing from the tin.

CRANBERRY AND WHITE CHOCOLATE OATCAKES

110 g/4 oz butter, softened
1 teaspoon vanilla essence
225 g/8 oz brown sugar
1 egg
55 ml/2 fl oz milk
275 g/10 oz plain flour
1 x 5ml/1 teaspoon baking powder
175 g/ 6 oz small white chocolate buttons
110 g/4 oz dried cranberries
50 g/2 oz oats

Put the butter, vanilla essence, sugar, egg, milk, flour and baking powder in a food processor and mix until smooth. Pour the mixture into a large bowl, the add the chocolate, oats and fruit. Drop two tablespoons at a time onto a greased baking sheet and bake for 12-15 minutes (gas mark 4/350°F/180°C) until golden. Leave to cool on the tray for 5 minutes before removing onto a wire rack to cool completely. (The white chocolate and cranberries can be replaced with dark chocolate and raisins if preferred.)

BARA PLANC (T)

900 g/2 bwys o flawd
chwarter llond llwy de o halen
chwarter llond llwy de o siwgwr
25 g/1 owns o furum
llaeth a dŵr i gymysgu

Cymysgwch y blawd, y siwgwr a'r halen mewn dysgl gynnes. Cymysgwch y burum â dŵr a'i adael i sefyll am ychydig funudau cyn ei arllwys i'r cymysgedd sych gyda digon o laeth cynnes i'w dylino'n does heb fod yn rhy drwchus. Rhowch y toes mewn lle cynnes i godi am awr a hanner. Rhannwch y toes yn dorthau bach tenau a'u crasu ar radell am 15 munud gan eu troi hanner ffordd i goginio'r ochr arall. Holltwch drwy'r canol, taenwch fenyn a jam arnynt a'u bwyta'n boeth.

BARA TRIOG (T)

3 cwpanaid o flawd
llond llwy de o halen
llond llwy de o bowdwr codi
3 llond llwy fwrdd o siwgwr
75 g/3 owns o gyrens
2 lond llwy fwrdd o driog
¾ peint o laeth

Cymysgwch y blawd, yr halen, y powdwr codi, y siwgwr a'r cyrens. Cymysgwch y triog a'r llaeth a'u hychwanegu i'r blawd gan droi'n dda. Rhowch y cymysgedd mewn tun teisen wedi'i iro a'i grasu mewn ffwrn heb fod yn rhy boeth am tua 45 munud.

Melin Penbompren, Melin Howell
– dwy felin ddŵr draddodiadol
– two traditional water mills

PLANK BREAD (T)

900 g/2 lbs flour
quarter teaspoon salt
quarter teaspoon sugar
25 g/1 oz yeast
milk and water to mix

Combine the flour, sugar and salt in a warm bowl. Mix the yeast and water and leave to stand for a few minutes before pouring into the flour mixture with plenty of warm milk to knead into a not too thick dough. Leave to stand in a warm place for 1½ hours. Cut into small, thin loaves and bake on a griddle for 15 minutes before turning and baking on the other side. Slice lengthways, spread with butter and jam and eat warm.

TREACLE BREAD (T)

3 cups flour
1 teaspoon salt
1 teaspoon baking powder
3 tablespoons sugar
75 g/3 oz currants
2 tablespoons treacle
¾ pint of milk

Combine the flour, salt, baking powder, sugar and currants. Mix the treacle and milk together and add to the flour, stirring thoroughly. Pour into a greased cake tin and bake in a moderate oven for about 45 minutes.

BYNS MAM-GU (T)

450 g/pwys o flawd plaen
25 g/owns o furum ffres
75 g/3 owns o syltanas
llond llwy de o halen
75 g/3 owns o fenyn
75 g/3 owns o siwgwr mân
hanner llond llwy de o nytmeg
110 ml/4 owns hylifol o laeth twym
110 ml/4 owns hylifol o ddŵr twym

Poethwch y ffwrn (nwy 6/400°F/200°C).
Rhidyllwch y blawd, yr halen a'r nytmeg i
bowlen fawr. Ychwanegwch y menyn a'i rwbio
i'r blawd nes ei fod fel briwsion. Ychwanegwch
y syltanas a'r burum ffres. Gwnewch bant yng
nghanol y cymysgedd ac arllwyswch y llaeth a'r
dŵr twym iddo gan gymysgu'r cyfan yn does
gludiog. Tylinwch y toes ar fwrdd â blawd arno
am tua 8-10 munud. Rhowch y toes mewn
powlen lân wedi'i hiro'n ysgafn, ei orchuddio â
lliain sychu llestri glân a'i adael i godi mewn lle
twym am tua awr, neu nes bydd wedi chwyddo
i ddwywaith ei faint. Yna, curwch yr aer o'r toes
cyn ei dylino eto am rai munudau. Rhannwch
yn 12 darn cyfartal a'u ffurfio'n beli. Gosodwch
y rhain ar dun pobi wedi'i iro a rhoi'r lliain
sychu llestri arnynt a gadael iddynt godi
unwaith eto am 30-45 munud nes y byddant
wedi chwyddo i ddwywaith eu maint. Craswch
am 15-18 munud neu nes bydd y byns yn
euraidd. Rhowch sglein o siwgwr a dŵr
drostynt â brwsh a'u gadael i oeri.

Becws Pen Cae, Ceredigion
becws bychan yng nghefn gwlad Cymru
a small bakehouse in rural Wales

MAM-GU'S BUNS (T)

450 g /1 lb plain flour
25 g/1 oz fresh yeast
75 g/3 oz sultanas
1 teaspoon salt
75 g/3 oz butter
75 g/3 oz caster sugar
half teaspoon nutmeg
110 ml/4 fl oz warm milk
110 ml/4 fl oz hand-hot water

Pre-heat the oven (gas mark 6/400°F/200°C).
Sieve together the flour, salt and nutmeg into a
large mixing bowl. Add the butter and rub until
it resembles fine breadcrumbs. Add the
sultanas and fresh yeast. Make a well in the
centre, pour in the milk and water and mix into
a sticky dough. Knead on a floured surface for
8-10 minutes. Transfer the dough into a lightly
greased bowl, cover with a clean tea cloth and
leave to rise in a warmish place for about an
hour, or until it has doubled in size. When
ready, turn the dough out, knock it down to get
the air out and knead it again for a few minutes.
Divide into 12 equal pieces and form each one
into a ball. Place on a greased baking sheet,
cover with the tea cloth and leave to rise once
again for 30-45 minutes. Bake for 15-18
minutes or until golden brown. Brush the buns
with a glaze of water and sugar and leave to
cool.

Bara Iechyd (T)

2 dorth

700 g/1½ pwys o flawd
cwpanaid de o siwgwr
cwpanaid fawr o driog melyn
1 wy
cwpanaid fawr o gyrens a resins (cymysg)
cwpanaid fawr o laeth
2 lond llwy de o bowdwr codi
pinsied o halen

Cymysgwch y cynhwysion sych ac yna ychwanegwch yr wy wedi'i guro'n dda, y llaeth a'r triog melyn. Cymysgwch y cwbl yn dda. Craswch mewn ffwrn weddol boeth am awr a hanner. Gadewch i'r torthau sefyll am ddeuddydd neu dri cyn eu bwyta. Cadwant yn iawn am 3 wythnos i fis.

Bara Sinsir (T)

225 g/hanner pwys o flawd plaen
2 lond llwy de o sinsir mâl
llond llwy de o sbeisys cymysg
50 g/2 owns o fenyn
8 lond llwy fwrdd o driog du neu driog melyn
25 g/1 owns o siwgwr coch, meddal
1 wy
150 ml/chwarter peint o laeth
hanner llond llwy de o soda pobi

Rhidyllwch y blawd, y sinsir, y sbeisys cymysg a'r soda i ddysgl fawr ac arllwyswch y triog toddedig, ayb, arnynt. Curwch yr wy a'r llaeth a'u hychwanegu at y cynhwysion eraill a'u cymysgu'n drwyadl. Irwch dun ymyl isel a gorchuddio'i waelod â haen o bapur menyn. Rhowch y cymysgedd ynddo a'i grasu mewn ffwrn weddol boeth am ryw 40 munud.

Dulliau cynnar o dyfu ŷd a'i falu
Early methods of growing and milling corn

Health Bread (T)

2 loaves

700 g/1½ lbs flour
1 teacup sugar
1 large cup golden syrup
1 egg
1 large cup mixed currants & raisins
1 large cup milk
2 teaspoons baking powder
a pinch of salt

Combine all the dry ingredients, then add the well-beaten egg, milk and syrup and mix well. Bake in a moderate oven for 1½ hours. Leave to stand for 2-3 days before eating. Will keep for 3-4 weeks.

Gingerbread (T)

225 g/half lb plain flour
2 teaspoons ground ginger
1 teaspoon mixed spice
50 g/2 oz butter
8 tablespoons treacle or golden syrup
25 g/1 oz soft brown sugar
1 egg
150 ml/quarter pint milk
half teaspoon baking soda

Sieve the flour, ginger, spice and soda into a large bowl. Pour over the warm treacle etc. Beat together the egg and milk and add to the bowl with all the other ingredients, mixing thoroughly. Grease and line a shallow cake tin. Pour the mixture into the tin and bake in a fairly hot oven for about 40 minutes.

Te Bach Cymreig

Bendith ar bwy bynnag ddaeth â dail te i Gymru gyntaf! Mae'r tecell ar y tân, y tebot wrth law a'r gwahoddiad i rannu 'disied' neu 'baned' yn rhan o'r croeso cynhenid Cymreig ers canrifoedd. Yn ôl y sôn rydym yn hoffi te cryf – te 'coch' neu de 'coes morthwyl', neu hyd yn oed 'sug tomen'! Mae sawl cwmni te yng Nghymru wedi cyfuno gwahanol fathau o de i weddu i'n dŵr hyd yn oed.

Pan nad oedd fawr o hwyl arno byddai Tat-gu yn paratoi te gamil drwy arllwys dŵr berw dros flodau camil ffres neu sych.

Mae'n bosib mai'r danteithion melys traddodiadol ar gyfer y te bach Cymreig yw'r cynnyrch cegin Cymreig enwocaf y tu allan i Gymru. Mae bara brith yn gyfarwydd ledled y byd erbyn hyn, a'r dorth hon gyda'i ffrwythau wedi'u mwydo mewn te yw'r fwyaf poblogaidd bellach, yn hytrach na'r dorth frith furum draddodiadol. Gwnaed 16,000 o 'bice bach ar y maen' neu 'gacenni cri' ar gyfer gŵyl fwyd yn Pennsylvania yn ddiweddar a'r rhain yw'r math o gacenni sy'n gwerthu orau yn siopau Harrods. Mae ugeiniau o gaffis ac ystafelloedd te ledled Cymru yn denu cwsmeriaid o bell oherwydd yr enw da sydd i'w sgons, jam a hufen. Ac maen nhw i'w cael ym Mhatagonia hyd yn oed.

Mae'r te Cymreig yn achlysur cymdeithasol – mewn aduniad teuluol, wrth gyfarfod hen ffrindiau, pan ddaw tadau a mamau yn ôl o'r gwaith dros y Sul a'r meibion adref o'r ffermydd lle'r oeddent yn gweini tymor. Ceir hen gardiau post yn darlunio gwragedd mewn gwisg draddodiadol yn mwynhau te bach a oedd yn ffasiynol iawn ar un adeg, gyda rhai ohonynt yn darlunio criw go niferus yn cyfarfod â'i gilydd am de.

Yn ogystal â'r teisennau 'ffwrdd â hi', mae dewis da o ryseitiau traddodiadol am gacenni mwy sylweddol. Mae'r Cymry heddiw wedi glynu at y traddodiad, gyda dewis eang, safonol o boptai yn parhau i grasu'r cynnyrch deniadol. Ond nid oes dim a all guro'r cynnyrch a ddaw o'ch cegin eich hun chwaith!

Welsh Tea

Blessed be the one who first brought tea leaves to Wales! The kettle is on the fire, the teapot to hand and an invitation to share a 'cuppa' has been part of the inherent Welsh welcome for centuries. We are known to like strong tea – 'red' tea or 'hammer handle' tea or even 'liquid manure'! Many tea companies in Wales have even combined different varieties of tea leaves to suit our water.

When Grandfather was under the weather he would prepare camomile tea by pouring boiling water over fresh or dried camomile flowers.

Of all the Welsh kitchen's produce the traditional sweet delicacies of the 'Welsh Tea' are probably the most well-known outside Wales. Bara Brith is familiar throughout the world, and the version where the fruit has been soaked in tea is more popular than the more traditional yeast loaf. 16,000 Welsh Cakes were made for a food festival in Pennsylvania recently and these are the best sellers amongst all cakes in Harrods. Dozens of cafes and tearooms throughout Wales attract customers from far and wide because of the quality of their scones, jam and cream. They're even available in Patagonia.

The Welsh tea is a social occasion – at a family reunion, when meeting old friends, when mothers and fathers come home from work on Sundays and sons come home from farms where they had been serving a term. Old postcards illustrate women in traditional costume enjoying tea, once very fashionable, some of them showing quite a large group meeting for tea.

In addition to the 'slap-dash' cakes there is also a good choice of traditional recipes for more substantial cakes. Welsh people today have kept the tradition and there is a wide choice of high quality bakeries that continue to bake attractive produce. But there is nothing superior to produce baked in your own kitchen!

PICE AR Y MAEN / TEISENNAU CRI (T)

Mae'r Cymry wedi bod yn coginio ar faen neu radell ers canrifoedd. Mae'r gair 'gradell' i'w ganfod yng Nghyfreithiau Hywel Dda ac yn cael ei restru ymysg y pethau haearn a wnaed gan of. Y ffordd orau o wneud teisennau cri da yw eu coginio'n sydyn ar y ddwy ochr fel eu bod yn dal yn feddal yn y canol. Ond gofalwch beidio â'u llosgi!

15-18 teisen

225 g/8 owns o flawd codi
pinsied o halen
llond llwy de o sbeisys cymysg
110 g/4 owns o fenyn neu fargarîn
75 g/3 owns o siwgwr gwyn mân
75 g/3 owns o gyrens a syltanas yn gymysg
wy mawr wedi'i guro
croen hanner lemwn

Rhidyllwch y blawd, yr halen a'r sbeisys i bowlen. Rhwbiwch y menyn neu'r margarîn i'r cynhwysion sych nes eu bod fel briwsion bara mân. Ychwanegwch y siwgwr, y croen lemwn a'r ffrwythau sych. Arllwyswch yr wy a chymysgu'r cyfan yn does. Ysgeintiwch dipyn o flawd ar fwrdd a rholio neu wasgu'r toes nes ei fod tua 5 mm/chwarter modfedd o drwch. Torrwch ef yn gylchoedd â thorrwr 4-5 cm/1½ i 2 fodfedd, neu gallwch ei dorri'n sgwariau (ni fydd raid i chi ei ail-rolio dro ar ôl tro os y gwnewch hynny). Craswch y pice ar radell weddol boeth, gan eu troi unwaith, nes y byddant yn euraidd ar y ddwy ochr ond yn dal ychydig yn feddal yn y canol. Taenwch siwgwr gwyn mân drostynt tra byddant yn dal yn boeth. Os nad oes gennych radell, gallwch ddefnyddio padell ffrio drom wedi'i hiro ag ychydig o fenyn. (Mae'r teisennau cri neu'r pice ar y maen ar eu gorau pan fyddant yn gynnes ond fe gadwant am hyd at 10 diwrnod mewn bocs aerglos. Maent yn flasus hefyd gyda jam a hufen ffres wedi'i chwipio'n ysgafn.)

Pice buch/Welsh cakes

WELSH CAKES (T)

Cooking on a bakestone or griddle has been common practice throughout Wales for centuries. The Welsh noun 'gradell' appears in the Laws of Hywel Dda and is included among the iron objects made by the blacksmith. The art of a good Welsh cake is to cook them quickly on both sides so that they stay moist in the centre, but take care not to burn them!

15-18 cakes

225 g/8 oz self-raising flour
a pinch of salt
1 teaspoon mixed spice
110 g/4 oz butter or margarine
75 g/3 oz caster sugar
75 g/3 oz mixed currants & sultanas
1 large egg, beaten
zest of half a lemon

Sieve the flour, salt and spice into a mixing bowl. Rub in the fats until the mixture resembles fine breadcrumbs. Add the sugar, lemon rind and dried fruit. Pour in the beaten egg and stir to make a firm dough. On a floured board, roll or press the dough to approximately 5 mm/quarter inch thick. Cut into discs with a 4-5 cm/1½ to 2 inch cutter, or cut into squares (you will not need to keep re-rolling if you use this shape). Bake the Welsh cakes on a medium hot griddle, turning once, until golden brown on both sides but still a little soft in the middle. Dust with caster sugar while still hot. If you do not have a griddle you could use a heavy base frying pan, lightly buttered. (They are best eaten warm but will keep for up to 10 days in an airtight container. You can also serve them with lightly-whipped fresh cream and preserves.)

BARA BRITH BACHELDRE

110 g/4 owns o lugaeron
110 g/4 owns o fricyll sych
110 g/4 owns o resins mawr
150 g/5 owns o ffrwctos neu 200 g/7 owns o
siwgwr coch demerara
330 ml/12 owns hylifol o de cryf, poeth
croen 1 oren ac 1 lemwn wedi'u gratio'n fân
175 g/6 owns o flawd cyflawn graneri Bacheldre
neu debyg
110 g/4 owns o flawd plaen
1¼ llond llwy de o bowdwr codi
1 wy wedi'i guro

Rhowch y ffrwythau sych a'r ffrwctos neu siwgwr mewn powlen. Arllwyswch y te poeth drostynt a'u cymysgu nes bod y siwgwr wedi toddi. Gorchuddiwch a gadewch dros nos. Y diwrnod canlynol poethwch y ffwrn (nwy 2/300°F/150°C) a rhowch bapur menyn mewn tun torth 900 g/2 bwys a'i iro'n dda. Ychwanegwch y croen oren a lemwn at y ffrwythau. Mewn powlen fawr, cymysgwch y ddau flawd, y powdwr codi a'r ffrwythau ac unrhyw hylif sydd ar ôl. Yna, ychwanegwch yr wy a rhowch y cymysgedd yn y tun. Craswch yng nghanol y ffwrn am 1½ – 1¾ awr. Gadewch i'r dorth oeri am 10 munud cyn ei thynnu o'r tun a'i rhoi ar resel weiren i oeri'n llwyr.

BACHELDRE SPECKLED BREAD

110 g/4 oz cranberries
110 g/4 oz dried apricots
110 g/4 oz large raisins
150 g/5 oz fructose or 200 g/7 oz demerara sugar
330 ml/12 fl oz hot, strong tea
finely grated zest of 1 orange and 1 lemon
175 g/6 oz Bacheldre wholemeal granary
flour or similar
110 g/4 oz plain flour
1¼ teaspoon baking powder
1 egg, beaten

Place the dried fruit and fructose or sugar in a bowl. Pour over the hot tea and stir until the sugar has dissolved. Cover and leave overnight. The next day, preheat the oven (gas mark 2/300°F/150°C) and line a well-greased 900 g/2 lb bread tin with greaseproof paper. Add the orange and lemon zest to the fruit. In a large bowl, mix both flours, baking powder and fruit and any liquids left over. Then add the beaten egg and pour the mixture into the tin. Bake in the middle of the oven for 1½ – 1¾ hours. Leave to cool in the tin for 10 minutes before removing and placing on a wire rack to cool completely.

Bara brith

SGONS Y WLAD (T)

450 g/pwys o flawd
hanner llond llwy de o bowdwr codi
50 g/2 owns o siwgwr
50 g/2 owns o syltanas
110 g/4 owns o lard
pinsied o halen
1 wy
6 llond llwy fwrdd o laeth cynnes
llond llwy de o nytmeg

Tylinwch y blawd a'r lard ac yna ychwanegwch y cynhwysion sych. Curwch yr wy yn dda a'i arllwys i'r llaeth cynnes cyn arllwys y cwbl i ganol y cynhwysion sych. Cymysgwch yn dda. Rholiwch y toes yn 5 mm/chwarter modfedd o drwch a'i dorri'n gylchoedd bychain. Craswch am tua 15 munud mewn ffwrn boeth.

COUNTRY SCONES (T)

450 g/1 lb flour
half teaspoon baking powder
50 g/2 oz sugar
50 g/2 oz sultanas
110 g/4 oz lard
a pinch of salt
1 egg
6 tablespoons warm milk
1 teaspoon nutmeg

Knead the flour and lard, then add the dry ingredients. Beat the egg well, pour into the warm milk and add to the dry ingredients. Mix well. Roll or press the dough to approximately 5 mm/quarter inch thick and cut into small rounds. Bake for about 15 minutes in a hot oven.

BARA BRITH (T)

900 g/2 bwys o flawd
25 g/owns o furum
225 g/8 owns o siwgwr coch
225 g/8 owns o fenyn (neu fenyn a lard)
175 g/8 owns o syltanas neu resins
175 g/6 owns o gyrens
110 g/4 owns o bîl
llond llwy de o halen
hanner llond llwy de o sbeisys cymysg
llaeth cynnes

Cymysgwch y burum, ychydig o'r siwgwr a'r llaeth cynnes. Rhwbiwch y menyn i'r blawd ac ychwanegu'r cynhwysion sych. Gwnewch bant yn y canol, tywallt y burum iddo a'i dylino. Gadewch y cymysgedd mewn lle cynnes am awr a hanner i godi i ddwywaith ei faint. Rhowch ar fwrdd â blawd arno a'i ffurfio'n dorth, yna ei roi mewn tun wedi'i iro. Craswch mewn ffwrn weddol boeth am tua awr a hanner.

Te Cymreig/Traditional Welsh Tea

SPECKLED BREAD (BARA BRITH) (T)

900 g/2 lbs flour
25 g/1 oz yeast
225 g/8 oz brown sugar
225 g/8 oz butter (or butter and lard)
175 g/6 oz sultanas or raisins
175 g/6 oz currants
110 g/4 oz peel
1 teaspoon salt
half teaspoon mixed spice
warm milk

Mix the yeast, a little of the sugar and the warm milk. Rub the fat into the flour and then add the dry ingredients. Make a well in the centre, pour in the yeast and knead. Leave to stand in a warm place for 1½ hours to double in size. On a floured surface, shape the dough into a loaf and put in a greased tin. Bake in a fairly hot oven for about 1½ hours.

Cacen Fêl gydag Eisin Lemwn

400 g/14 owns o flawd hunan-godi
2 lond llwy de o sbeisys cymysg
175 g/6 owns o fenyn heb halen
175g/6 owns o siwgwr mân
3 wy mawr
250 ml/8 owns hylifol o iogwrt naturiol neu laeth
    enwyn
8 owns o fêl clir

Eisin lemwn:
½ peint o hufen dwbwl
croen 1 lemwn
½ potyn o geuled lemwn

Irwch dun cacen 25 cm/10 modfedd.
Rhidyllwch y blawd a'r sbeisys cymysg i ddysgl.
Curwch y menyn a'r siwgwr i'r cymysgedd nes
ei fod yn hufennog ac yna ychwanegu'r wyau
fesul un. Ychwanegwch y blawd, y mêl a'r
iogwrt neu laeth enwyn bob yn ail a'i droi'n
ofalus. Arllwyswch y cymysgedd i'r tun a
choginiwch am 30 munud (nwy
4/350°F/180°C). Gadewch i'r gacen oeri yn y
tun am 10 munud cyn ei thynnu a'i rhoi ar resel
weiren i oeri'n llwyr.

Sleisiwch y gacen yn ofalus drwy'r canol.
Chwipiwch yr hufen nes ei fod yn drwchus ac
yna trowch y croen lemwn a'r ceuled lemwn i
mewn iddo'n ofalus. Taenwch beth o'r eisin
rhwng y ddau hanner a rhoi'r gweddill ar ben y
gacen. Ysgeintiwch ragor o groen lemwn mân
neu gnau pistachio ar ei phen i'w haddurno.

Honey Cake with Lemon Icing

400 g/14oz self raising flour
2 teaspoon mixed spice
175 g/6oz butter
175 g/6oz caster sugar
3 large eggs
250 ml/8 fl.oz natural yoghurt or buttermilk
225/8oz clear honey

Frosting:
½ pt double cream
zest of 1 lemon
½ jar lemon curd

Grease and flour a 25 cm/10" cake tin. Sift
together the flour and spice. Cream the butter
and sugar then gradually beat in the eggs. Fold
in the flour, honey, yoghurt or buttermilk
alternately. Place all the mixture in the tin and
bake at 350F/180C/gas mark 4 for about 30
minutes. Turn out, cool and cut into two like a
sandwich.

Whisk the cream until stiff, then fold in the
lemon and lemon curd. Use the icing to fill and
top the cake. Sprinkle some more finely-grated
lemon zest and pistachio nuts on top to
decorate.

Becws gwledig a thai te Cymreig
A rural bakehouse and Welsh tearooms

CACEN PENDERYN

100 ml/4 owns hylifol o wisgi Penderyn
350 g/12 owns o ffrwythau sych
    (resins, llugaeron, cwrens, ceirios a.y.b.)
175 g/6 owns o fenyn wedi'i feddalu
175 g/6 owns o siwgwr coch tywyll meddal
croen 1 oren
3 wy mawr
225 g/8 owns o flawd plaen
50 g/2 owns o almonau mâl
llond llwy de o bowdwr codi
llond llwy de sbeisys cymysg
25 g/owns o almonau cyfan wedi'u hollti ar eu hyd

Rhowch y ffrwythau a'r wisgi mewn powlen, gorchuddiwch a gadewch dros nos i fwydo nes bod y ffrwythau wedi amsugno'r ddiod.

Y diwrnod canlynol, rhowch y menyn, y siwgwr a chroen yr oren mewn powlen a'u cymysgu nes y byddant yn hufennog. Ychwanegwch yr wyau yn raddol a chymysgu'r cyfan yn dda. Rhidyllwch y blawd, y powdwr codi a'r sbeisys gyda'i gilydd cyn eu troi'n ofalus i mewn i'r cymysgedd. Ychwanegwch a throwch yr almonau mâl a'r ffrwythau a rhowch y cyfan mewn tun cacen crwn 20 cm/8 modfedd wedi'i iro a'i leinio â phapur menyn. Gosodwch yr almonau wedi'u hollti ar ben y gacen cyn ei rhoi i grasu yn y ffwrn (nwy 2/300°F/150°C) am 1½ i 2 awr neu nes y bydd yn teimlo'n gadarn ac wedi gwahanu oddi wrth ochrau'r tun. Gadewch i'r gacen oeri yn y tun cyn ei thynnu a'i rhoi ar resel weiren i oeri'n llwyr.

Mae'r gacen hon yn fwy blasus ar ôl ei chadw am ddeuddydd neu dri cyn ei bwyta.

PENDERYN CAKE

100 ml/4 fl oz Penderyn whiskey
350 g/12 oz dried fruit
    (raisins, cranberries, currants, cherries etc.)
175 g/6 oz butter, softened
175 g/6 oz soft dark brown sugar
grated zest of 1 orange
3 large eggs
225 g/8 oz plain flour
50 g/2 oz ground almonds
1 teaspoon baking powder
1 teaspoon mixed spice
25 g/1 oz whole almonds, split lengthways

Put the fruit and whisky in a bowl, cover and leave overnight until the fruit has absorbed the liquor.

The following day, put the butter, sugar and grated rind in a bowl and beat until creamy. Gradually add the eggs and mix thoroughly. Sieve together the flour, baking powder and mixed spice before folding into the mixture. Stir in the ground almonds and fruit, then pour the mixture into a 20 cm/8 inch greased and lined cake tin. Arrange the split almonds on top and bake in the oven for 1½ to 2 hours (gas mark 2/300°F/150°C) or until the cake feels firm to the touch and has started to shrink from the side of the tin. Leave the cake to cool in the tin before removing and placing on a wire rack to cool completely.

This cake improves in taste if kept for two or three days before eating.

Cawl, Potes a Lobsgows

Soups, Broths and Lobscouse

Cawl, Potes a Lobsgows

Yn wreiddiol, nid oedd potes fawr mwy na bara ceirch a dŵr berw – yn debyg iawn i'r trwyth a wneid yn draddodiadol ar gyfer bragu cwrw cartref. Mewn rhai ardaloedd yng ngogledd Cymru, 'tŷ potas' yw'r enw ar dŷ tafarn o hyd.

Bwyd y teulu tlawd oedd cawl neu botes, ond er nad oedd cig ynddo'n wreiddiol, roedd yn faethlon iawn, yn enwedig pan ychwanegid llysiau ato. Pan oedd y cartref yn agos at y glannau, byddai'r teulu'n casglu mathau bwytadwy o wymon i'w hychwanegu i'r potes weithiau, neu berlysiau gwyllt o'r cloddiau a'r coedwigoedd.

Efallai mai'r saig Gymreig enwocaf un yw cawl cennin – dyma'r pryd traddodiadol o hyd ar gyfer dathliadau cymdeithasol adeg Gŵyl Ddewi. Mae hen stori yn cysylltu'r nawddsant â'r genhinen. Roedd byddin o Gymry yn wynebu byddin o Saeson, ond oherwydd y tywydd niwlog a gwisgoedd tebyg y ddwy fyddin, roedd perygl dybryd y byddai Cymro yn trywanu un o'i gyd-genedl gan ei gamgymryd am y gelyn. Tyfai cennin gerllaw ac wrth fendithio'r fyddin Gymreig, anogodd Dewi bob milwr i wisgo cenhinen yn ei gap er mwyn iddynt adnabod ei gilydd. Enillodd y Cymry wrth gwrs a dyna sail y garwriaeth sydd rhyngom a'r genhinen hyd heddiw.

Mae ugeiniau o ryseitiau cawl traddodiadol i'w cael yng Nghymru a sawl un yn perthyn i ardaloedd a theuluoedd hyd yn oed. Cynhwysir esgyrn mêr a chig yn rhai ohonynt, ond mae llawer o enghreifftiau o 'gawl troednoeth' heb gig hefyd. Defnyddir darnau o gig eidion 'stiw', ac ysgwydd neu wddf oen fel arfer mewn 'lobsgows' – mae'r rhain eto yn hen ryseitiau.

Mae hanes difyr i'r enw 'lobsgows' ei hun. Daw o air a ddefnyddiai'r llongwyr o Norwy ar saig debyg a baratoid mewn gali llong hwyliau ers talwm. Bu cysylltiad agos rhwng porthladdoedd Cymru a Norwy a dyna darddiad y benthyciad. Deuthum ar draws fersiwn arall o lobsgows yn ddiweddar dros y ffin yn Newcastle upon Lyme, gogledd Swydd Stafford – powlen o 'lobby' a oedd yn debyg iawn i'r fersiwn Cymreig ond heb y cennin!

Wrth fwyta cawl mewn powlen bren gyda llwy bren, byddai 'Nhad yn tynnu'r cig allan ac yn ei fwyta ar wahân gyda chyllell a fforc, ac yn gadael i'r cawl oeri a'i fwyta wedyn. Fel rhan o'm gwaith ymgynghorol, byddaf yn annog cogyddion tai bwyta ledled Cymru i gynnig cawl ar eu bwydlenni mewn gwahanol ffyrdd, megis y rysáit Cawl Pysgod Cregyn ar dudalen 24.

Soups, Broths and Lobscouse

Originally, broth wasn't much more than oat cakes mixed with boiling water – very similar to the recipe traditionally prepared to make home-brewed beer. In some areas of northern Wales, public houses are still referred to as 'tŷ potas' or broth house.

Soup or broth was eaten by the poor families, and even though it didn't contain any meat it was very nutritious, especially when vegetables were added. If the home was near the coast the family would sometimes collect edible seaweeds to add to the broth, or wild herbs from the hedgerows and woodlands.

The most well-known Welsh dish is probably leek soup – on St David's Day this traditional meal is still prepared for social celebrations. An ancient legend connects the patron saint with the vegetable. An army of Welsh soldiers was fighting a Saxon army on a misty day and the two armies were wearing very similar clothing. Leeks grew in a nearby field and when David was blessing the army he encouraged the Welsh soldiers to wear the vegetable on their helmets in order to identify themselves. The Welsh won of course and our love affair with the leek started and continues until this day.

Dozens of traditional soup recipes are to be found in Wales some belonging to certain areas and even individual families. Marrow bone and meat are included in some but there are also many examples of meatless or 'barefoot' soups that contain no meat. Pieces of stewing beef, or neck or shoulder of lamb, are also usually used in lobscouse – these again are old recipes.

There is an interesting tale to the name 'lobsgows'. The word was used by Norwegian sailors for a similar dish prepared on a ship's galley in days gone by. There was close contact between Welsh and Norwegian ports and hence the term was borrowed. I came across a different version of 'lobsgows' recently across the border in Newcastle upon Lyme, in north Staffordshire – a bowl of 'lobby', very similar to the Welsh version but without the leeks!

When eating soup from a wooden bowl with a wooden spoon Father would remove the meat onto a plate and would eat it first, using a knife and fork, leaving the soup to cool before eating it. As part of my work as a consultant, I encourage chefs across Wales to offer variations of cawl on their menus, such as the Shellfish Soup on page 24..

Sŵp Caws (T)

110 g/4 owns o gaws
1 foronen fawr
1 winwnsyn (nionyn) mawr
1 daten fawr
1 coesyn helogan (seleri)
725 ml/1 a chwarter peint o ddŵr
150 ml/chwarter peint o hufen sengl
halen a phupur
2 lond llwy de o bersli wedi'i falu'n fân
2 giwb o stoc cyw iâr

Piliwch a thorri'r foronen, y daten a'r winwnsyn yn giwbiau. Sleisiwch yr helogan. Toddwch y ciwbiau stoc yn y dŵr a rhoi'r llysiau ynddo. Ychwanegwch halen a phupur i flasu a'i fudferwi am 15-20 munud nes bod y llysiau wedi'u coginio. Gratiwch y caws a'i roi gyda'r hufen yn y cawl. Aildwymwch, ond peidiwch â'i godi i'r berw. Ychwanegwch y persli a'i fwyta'n boeth.

Cawl Cennin (T)

darn o gig mochyn wedi'i halltu
tatws
moron
cennin
persli
bresych
blawd ceirch
dŵr

Arllwyswch ddŵr berwedig dros y cig mochyn mewn sosban. Ychwanegwch y tatws a'r moron wedi'u torri'n ddarnau bach. Gadewch i'r cyfan ferwi am tua awr a hanner. Tynnwch y cig mochyn o'r sosban ac ychwanegu'r cennin a'r bresych wedi eu torri'n fân. Codwch i'r berw eto a phan fydd y rhain wedi coginio, ychwanegwch lond llwy fwrdd o bersli wedi'i falu'n fân. I dewhau'r cawl gellir ychwanegu dwy lond llwy fwrdd o flawd ceirch mân wedi'i gymysgu â dŵr oer.

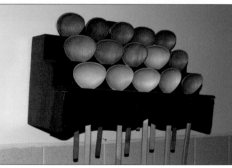

Llwyau Cymreig/Traditional Spoons

Cheese Soup (T)

110 g/4 oz cheese
1 large carrot
1 large onion
1 large potato
1 stick celery
725 ml/1 and a quarter pints water
150 ml/quarter pint single cream
salt and pepper
2 teaspoons chopped parsley
2 chicken stock cubes

Peel and dice the carrot, potato and onion. Slice the celery. Dissolve the stock cubes in the water and add the vegetables. Season to taste and simmer for 15-20 minutes until the vegetables are soft. Grate the cheese and add into the pan with the cream. Heat but do not boil. Stir in the parsley and serve hot.

Leek Soup (T)

a piece of salted bacon
potatoes
carrots
leeks
parsley
cabbage
oatmeal
water

Pour boiling water over the bacon in a saucepan. Add the finely chopped potatoes and carrots. Boil for about 1½ hours. Remove the meat from the saucepan and add the finely chopped leeks and cabbage. Bring back to the boil and when cooked, add a tablespoon of finely chopped parsley. To thicken the soup, add two tablespoons of fine oatmeal mixed with cold water.

CAWL CENNIN A CHAWS CYMREIG

Digon i 6

*700 g/pwys a hanner o gennin wedi'u golchi a'u
torri'n fras*
1 winwnsyn (nionyn) wedi'i dorri'n fân
*225 g/8 owns o gaws Cymreig wedi'i dorri'n
giwbiau*
50 g/2 owns o fenyn
2 lond llwy fwrdd o flawd plaen
1.5 litr/2½ peint o stoc twrci neu gyw iâr
150 ml/chwarter peint o hufen dwbl Cymreig
*2 lond llwy de wastad o fwstard gronynnog
Cymreig*
halen a phupur du newydd ei falu

Toddwch y menyn mewn sosban fawr,
ychwanegu'r winwnsyn a'i goginio am 5 munud
nes bydd yn feddal. Ychwanegwch y cennin a'u
coginio am 15 munud gan eu troi o dro i dro.
Ychwanegwch y blawd, ei gymysgu nes bydd yn
llyfn ac yna arllwys y stoc ar ei ben. Dewch â'r
cyfan i'r berw ac yna mudferwi'r cawl am 15
munud cyn gostwng y gwres a gadael i'r cawl
ffrwtian yn braf. Ychwanegwch yr hufen a'r
mwstard a'i droi. Ychwanegwch y caws, ychydig
ar y tro er mwyn iddo doddi cyn ychwanegu
rhagor. Blaswch y cawl cyn rhoi ychydig o
halen a phupur ynddo os bydd angen, a'i weini
mewn dysglau cawl cynnes gydag ychydig o
croutons pôb wedi'u hysgeintio ar ei ben.

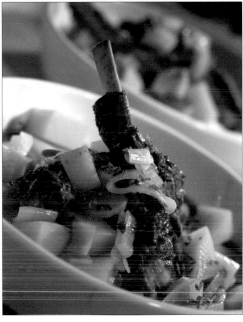

Cawl
Dau ddull traddodiadol
Two traditional recipies

WELSH CHEESE AND LEEK SOUP

Serves 6

700 g/1½ pound leeks, trimmed and washed
1 onion, finely chopped
225 g/8 oz Welsh cheese, cubed
50 g/2 oz butter
2 tablespoons plain flour
1.5 litres/2½ pints turkey or chicken stock
150 ml/quarter pint carton Welsh double cream
2 level teaspoons Welsh wholegrain mustard
salt and ground black pepper

Melt the butter in a large saucepan and add the
onions. Cook for 5 minutes or until soft. Add
the leeks and cook for 15 minutes stirring from
time to time. Add the flour and mix until
smooth then add the stock. Bring back to the
boil and simmer gently for 15 minutes. Reduce
the heat until the soup is bubbling gently then
stir in the cream and mustard. Add the cheese
in batches, allowing it to melt between each
addition. Taste, then season if required before
serving in warmed soup bowls, garnished with
oven-baked croutons.

CAWL PYSGOD CREGYN CYMREIG

Digon i 4

25 g/1 owns o fenyn
200 g/7 owns o gregyn bylchog Queenie o Fae
   Ceredigion
310 g/11 owns o gregyn gleision afon Menai
1 genhinen fach wedi'i golchi a'i thorri'n ddarnau
   bach
200 ml/7 owns hylifol o win gwyn sych
150 ml/chwarter peint o stoc pysgod
2 lond llwy fwrdd o fara lawr
110 g/4 owns o gocos newydd eu berwi
2 lond llwy fwrdd o hufen neu crème fraîche
halen a phupur du

Golchwch y cregyn bylchog a'u sychu ar bapur cegin. Golchwch y cregyn gleision, tynnu'r barfau a thaflu'r rhai sydd wedi agor. Toddwch y menyn mewn sosban fawr ar dân poeth a serio'r cregyn bylchog yn sydyn nes byddant wedi crimpio ychydig ar y ddwy ochr (am rhyw funud neu ddwy). Tynnwch nhw o'r sosban a'u rhannu rhwng pedair powlen weini gynnes.

Rhowch y cennin, y gwin a'r stoc yn yr un sosban. Crafwch y gwaddod oddi ar waelod y sosban a choginio'r cyfan am 3-4 munud nes bydd y cennin yn feddal. Arllwyswch y cregyn gleision ar ben y cennin a rhoi caead ar y sosban. Gadewch i'r cregyn gleision goginio am rai munudau nes byddant i gyd wedi agor, yna codwch nhw â llwy dyllog a thaflu'r rhai sydd heb agor. Rhowch y cregyn gleision agored ar ben y cregyn bylchog.

Rhowch y bara lawr i fudferwi yn sudd y pysgod ac yna ychwanegu'r cocos a'r hufen. Ychwanegwch halen a phupur os oes angen ac arllwys y cyfan dros y cregyn bylchog a'r cregyn gleision. Bwytewch gyda darnau o fara crystiog cynnes.

Cawl Caws a Chennin; Stiw
Cheese and Leek Soup; Stew

WELSH SHELLFISH SOUP

Serves 4

25 g/1 oz Welsh butter
200 g/7 oz Cardigan Bay Queenie scallops
310 g/11 oz Menai mussels
1 small leek, washed and finely diced
200 ml/7 fl oz dry white wine
150 ml/quarter pint fish stock
2 tablespoons laver bread
110 g/4 oz freshly boiled cockles
2 tablespoons cream or crème fraîche
salt and black pepper

Clean the scallops and dry on kitchen paper. Wash the mussels and de-beard and discard any that are open. In a large pan melt the butter over a high heat for a minute or two and sear the scallops quickly until lightly browned on both sides. Remove from the pan and divide between four warmed serving bowls.

Put the leeks, wine and stock into the same pan and de-glaze by scraping the sediment off the bottom of the pan. Cook for 3-4 minutes until the leeks are softened. Pour the clean mussels on top of the leeks and put a lid on the pan. Leave the mussels to cook for a few minutes until they have all opened. Remove the mussels with a slotted spoon discarding any unopened ones, and add to the scallops.

Stir the laver bread into the fish juices and simmer before adding the cockles and the cream. Season to taste and pour over the callops and mussels. Serve with chunks of crusty warm bread.

POTES CIG (T)

Rysáit o Feirionnydd

Arferid bwyta'r cig a'r llysiau i ginio gan gadw'r potes a'i dywallt yn boeth ar fara gwyn neu ar fara ceirch i wneud brwes ar gyfer brecwast drannoeth.

darn o gig eidion a darn o gig mochyn hallt
moron
bresych
erfinen (meipen)
tatws
dŵr

Berwch y cig a'r llysiau (wedi'u torri'n fân) mewn sosban fawr. Ychwanegwch y tatws atynt ryw 20 munud cyn codi'r potes oddi ar y tân.

LOBSGOWS (T)

Rysáit o Fynytho, Llŷn

Roedd lobsgows yn cael ei fwyta i ginio yn aml ar ffermydd gogledd Cymru neu i 'swper chwarel' yn ardaloedd y chwareli.

darn o gig eidion hallt
dŵr oer
1 winwnsyn (nionyn)
moron
1 rwdan (swejen)
tatws

Berwch y darn cig mewn sosban fawr am ychydig amser cyn rhoi'r winwnsyn, y moron a'r rwdan (wedi'u torri'n fân) yn y dŵr. (Gellir torri'r cig yn ddarnau mân os bydd yr amser i'w ferwi yn brin.) Rhowch y cig a'r llysiau i ferwi drachefn gan ychwanegu'r tatws ryw 20 munud cyn codi'r lobsgows oddi ar y tân. (Bydd tewder y lobsgows yn dibynnu ar ba faint o lysiau a roddir ynddo.)

Blas ar Fwyd, Llanrwst
Cynhyrchwyr cawliau Cymreig
Welsh soup producers

MEAT BROTH (T)

A recipe from Meirionnydd

The meat and vegetables in this dish would usually be eaten first and the stock reserved to be eaten hot on white bread or oatcakes (brwes) for breakfast the next morning.

a piece of beef and a piece of salt-cured bacon
carrots
cabbage
turnip
potatoes
water

Boil the meat and vegetables (finely chopped) in a large saucepan. Add the potatoes about 20 minutes before taking the broth off the heat.

LOBSCOUSE (T)

A recipe from Mynytho, Llŷn

Lobscouse would be eaten at lunchtime on north Wales farms, or as 'quarry supper' in the quarry villages and towns.

a piece of salt-cured beef
cold water
1 onion
carrots
1 swede
potatoes

Boil the meat in a large saucepan for a short while before adding the finely chopped onion, carrots and swede. (If necessary, cut the meat before boiling to save time.) Bring the meat and vegetables back to the boil, adding the potatoes about 20 minutes before removing from the heat. (The thickness of this soup depends on the quantity of vegetables used.)

Pysgod

Fish

Pysgod

Fish

Mae chwe chan milltir o arfordir gan Gymru – does unlle yma ymhell iawn o'r môr. Yn ogystal â hynny, mae gennym aberoedd dramatig, afonydd mawreddog a llynnoedd hudolus. Dyma gynefinoedd amrywiaeth mawr o bysgod ac mae'r grefft o bysgota yn llawer hŷn nag amaethyddiaeth yn ein hanes ni. Hyd at rhyw gan mlynedd yn ôl, roedd hen botsiars Cymreig yn mynnu fod ganddynt gymaint o hawl â'r meistri tir i ddal pysgod gan fod dŵr yr afonydd yn rhydd i bawb yn ôl hen gyfraith Hywel Dda.

Mae gorbysgota'r cefnforoedd gan longau ffatri anferth, gyda'u hoffer soffistigedig a'u milltiroedd o rwydi, wedi tlodi'n hafonydd o'r eog traddodiadol. Collodd porthladdoedd pysgota prysur megis Ceinewydd a Nefyn y diwydiant a roddodd fywoliaeth i gannoedd o deuluoedd pan oedd bri ar halltu penwaig. Aeth y rheolau cwotâu pysgota yn benwan, gan olygu bod llawer o'r hyn sy'n cael ei ddal yn cael ei ddifetha. Mae'r marchnadoedd pysgod yn bell a'r prisiau'n anwadal.

Ond mae'r rhod yn troi unwaith eto. Mae gwyliau bwyd sy'n arbenigo mewn hyrwyddo pysgod i'w cael ym Mhenfro, Ceredigion, Llŷn, Môn a Chonwy ac mae llawer o dai bwyta yn cyflwyno'r cynnyrch yn flasus ac anturus. Agorwyd nifer o 'ffermydd pysgod' yng Nghymru yn ystod y blynyddoedd diweddar – un ateb i niferoedd sigledig y pysgod gwyllt. Gwelir mwy o bysgota gyda'r glannau unwaith eto ac mae galw lleol am y bwyd maethlon hwn erbyn hyn, wrth inni unwaith yn rhagor ailddarganfod un o'n hadnoddau naturiol mwyaf gwerthfawr.

Pan oeddwn yn blentyn byddai ein teulu ni yn ymweld â Cheinewydd yn aml yn ystod gwyliau'r haf. Fyddai'r diwrnod byth yn gyflawn heb brynu mecryll ffres wedi'u lapio mewn papur newydd i fynd adre! Treuliwn oriau hefyd yn gwylio fy hen Wncwl Jonnie yn pysgota yn afon Teifi yng Nghenarth gyda'r cwryglau'n symud yn dawel, araf 'nôl ac ymlaen a chofiaf ei bleser a'i falchder wrth ddal gwyniedyn braf.

Mae bwyta amrywiaeth o bysgod yn gyngor da, yn enwedig pysgod olew megis mecryll ac eog sy'n cynnwys canran uchel o omega 3. Yn y gorffennol, penfras ac eog a fwyteid gan amlaf, ond bellach rydym yn fwy mentrus. Un o'r diwydiannau sy'n ffynnu yn sgil yr adfywiad hwn yw'r gweithdai bach sy'n mygu, neu 'gochi' pysgod. Beth am roi cynnig ar facrell wedi'i ffrio neu frithyll wedi'i fygu?

Wales has six hundred miles of coastline – wherever you are you're not far from the sea. We also have dramatic estuaries, majestic rivers and magical lakes. They are habitats to a great variety of fish and in our history the craft of fishing is much more ancient than agriculture. Until a century ago Welsh poachers insisted they had as much right as their landlords to catch fish since the river waters were available to all according to the ancient Law of Hywel Dda.

Overfishing the oceans by enormous factory ships with their sophisticated equipment and miles of netting has impoverished our rivers of our traditional salmon. Fishing ports, like New Quay and Nefyn have lost an industry that provided a livelihood for hundreds of families in times when there was demand for salted herring. Fishing quota rules made no sense and the result today is that a lot of what is caught has to be destroyed. Fish markets are now far and prices unstable.

But the tide is turning again. Food festivals specializing in promoting fish are now held in Pembrokeshire, Ceredigion, Llŷn, Môn and Conwy and many restaurants are presenting the produce in adventurous, mouth-watering ways. Many fish farms have been opened in Wales in recent years – one answer to the unstable numbers of wild fish stocks. Shore fishing is also much more prevalent again. There is local demand for this nutritious food as we rediscover one of our most valuable natural resources.

When I was a child our family would often visit New Quay during the summer holidays. The day would never be complete without buying fresh mackerel, wrapped in old newspaper, to take home! I would spend hours watching my great-uncle Jonnie fishing the Teifi river in Cenarth, his coracle floating quietly backwards and forwards, and I remember his pleasure and pride when he caught a plump sewin.

Eating a variety of fish is good advice, especially oily fish such as mackerel and salmon as they contain a high percentage of omega 3. In recent years cod and salmon had become the fish of choice but now people are becoming more adventurous. An industry that is flourishing as a result of this revival is the small smokeries. Why not try a fried mackerel or smoked trout?

PENNOG FFRES (T)

pennog ffres
saim cig moch

Torrwch ben y pennog, yna agor y pysgodyn ar hyd ei fol a'i lanhau'n drwyadl. Ffriwch mewn saim cig moch nes bydd y croen wedi'i grimpio ar y ddwy ochr.

MECRYLL MEWN CRWST SBEIS

4 ffiled o fecryll ffres diasgwrn wedi'u golchi
4 llond llwy fwrdd o flawd cyflawn
1 llond llwy de o fwstard sych
llond llwy de o Halen Môn sbeislyd wedi'i falu
110 g/4 owns o flawd ceirch
1 wy
olew llysiau i ffrio

Trochwch y pysgod yn y blawd cyflawn. Cymysgwch y mwstard sych, yr halen a'r ceirch a'u rhoi ar blât. Curwch yr wy mewn dysgl fas. Trochwch y ffiledau fesul un yn yr wy, gan wneud yn siŵr fod y pysgodyn i gyd yn cael ei orchuddio, cyn ei drochi yn y ceirch. Poethwch badell ffrio dros wres cymedrol ac ychwanegu ychydig o olew llysiau. Ffriwch y pysgod, gyda'r croen ar wyneb y badell, am 3-4 munud bob ochr. Bwytewch yn syth gyda saws iogwrt naturiol, croen leim a choriander ffres wedi'i falu'n fan.

FRESH HERRING (T)

fresh herring
bacon fat

Cut off the head then open the herring along the belly, gut and clean thoroughly. Fry in bacon fat until the skin is crisp on both sides.

MACKEREL IN SPICY CRUST

4 fillets of fresh mackerel, cleaned and boned
4 tablespoons wholemeal flour
1 teaspoon dry mustard powder
1 teaspoon ground spiced Halen Môn
110 g/4 oz oatmeal
1 egg
vegetable oil for frying

Coat the fish in the flour. Mix the dry mustard powder, salt and oatmeal and put onto a plate. Beat the egg in a shallow bowl. Dip the fillets, one at a time, into the egg, making sure that each one is well coated before covering with the seasoned oatmeal. Heat a little vegetable oil in a frying pan over moderate heat. Fry the fish, skin side down, for 3-4 minutes on both sides. Serve immediately with a dressing of natural yoghurt, grated lime zest and chopped fresh coriander.

PARSELI BRITHYLL A LLYSIAU

*2 ffiled tua 150 g/5 owns yr un o frithyll ffres heb
groen*
25 g/1 owns o fenyn
*llond llwy fwrdd o gennin wedi'u golchi a'u torri'n
stribedi*
llond llwy fwrdd o foron wedi'u torri'n stribedi hir
50 g/2 owns o fadarch wedi'u sleisio'n denau
*llond llwy de o daragon neu ddil ffres wedi'u
malu'n fân*
halen a phupur
sudd 1 lemwn
2 lond llwy fwrdd o win gwyn sych
olew i iro

Poethwch y ffwrn (nwy 7/425°F/210°C).
Plygwch ddarn mawr o bapur pobi yn ei hanner
a thorrwch hanner cylch, 20 cm o radiws.
Torrwch ail gylch yr un fath â'r un cyntaf

Toddwch y menyn mewn padell, ychwanegwch
y cennin a'r moron a'u coginio am 5 munud.
Ychwanegwch y madarch a'u coginio am 2
funud arall. Ychwanegwch y perlysiau ac
ychydig o halen a phupur. Brwsiwch olew ar du
mewn y cylchoedd papur. Rhowch hanner y
llysiau ar hanner un cylch, a gweddill y llysiau
ar hanner y cylch arall. Torrwch y ddau frithyll
yn dri darn a'u gosod ar y llysiau. Gwasgwch
ychydig o sudd lemwn ac arllwys llond llwy
fwrdd o win gwyn ar ben y cyfan. Yna plygwch
hanner rhydd y papur dros y llysiau a'r brithyll i
wneud parsel. Plygwch ochrau'r papur
ddwywaith i sicrhau ei fod wedi'i gau'n dynn.
Brwsiwch ychydig o olew ar y papur pobi.
Rhowch y parseli ar dun pobi a'u coginio am 7-
9 munud. Gweinwch y parseli fel ag y maent, ar
blât, gyda thatws newydd.

TROUT AND VEGETABLE PARCELS

2 x 150g/5 oz fillets of fresh trout, skin removed
25 g/1 oz butter
1 tablespoon leeks, washed and cut into strips
*1 tablespoon carrots, washed and cut into long
strips*
50 g/2 oz mushrooms, finely sliced
1 teaspoon fresh tarragon or dill, finely chopped
salt and pepper
juice of 1 lemon
2 tablespoons dry white wine
oil to grease

Pre-heat the oven (gas mark 7/425°F/210°C).
Fold a large sheet of baking parchment in half
and cut a semi circle with a radius of 20 cm.
Cut another identical circle.

Melt the butter in a frying pan, add the leeks
and carrots and cook for 5 minutes. Add the
mushrooms and cook for a further 2 minutes.
Add the herbs and a little salt and pepper.
Brush a little oil on the insides of the paper
circles. Place half of the vegetables on one half
of one circle and repeat with the rest of the
vegetables on the other circle. Cut each trout
into three pieces and place on the vegetables.
Squeeze a little lemon juice and pour a
tablespoon of white wine over the vegetables.
Then fold the paper over the vegetables and
trout to form a parcel. Fold the sides of each
parcel twice to make sure that it is sealed. Brush
a little oil over the baking parchment. Place the
parcels on a baking tray and cook for 7-9
minutes. Serve each parcel as they are, on a
plate, with new potatoes.

Marchnadoedd /Markets
Caerdydd ac Abertawe
Cardiff and Swansea

EOG WEDI'I LEDFERWI (T)

darn o eog (yn pwyso tua 450 g/pwys)
llaeth
halen a phupur
deilen llawryf

Rhowch y ddeilen llawryf a'r eog mewn sosban, ychwanegu digon o laeth i orchuddio'r pysgodyn a halen a phupur i flasu. Lledferwch am ryw 15 munud, yn ôl maint y pysgodyn. (Dylid caniatáu 15 munud i bob pwys.) Yn yr un modd, gellir rhoi'r cynhwysion mewn dysgl bridd a'u lled-ferwi mewn ffwrn weddol boeth. Sleisiwch yr eog a'i fwyta'n dwym gyda saws persli neu yn oer gyda bara menyn.

BRITHYLL A CHIG MOCH (T)

1 brithyll
sleisenni tew o gig moch
persli wedi'i falu'n fân
halen a phupur

Rhowch y sleisenni cig moch ar waelod dysgl bastai. Torrwch ben y brithyll, ei agor ar hyd ei fol a'i lanhau cyn ei osod ar ben y cig moch. Ysgeintiwch bersli, halen a phupur drostynt. Rhowch orchudd ar y ddysgl a phobi am tua 20 munud yn y ffwrn (nwy 4/350°F/180°C).

Pysgotwyr cwrwgl/Coracle fishermen

PARBOILED SALMON (T)

a piece of salmon (weighing approx. 450 g/1 pound)
milk
salt and pepper
bay leaf

Put the fish and bay leaf in a saucepan, cover with milk and season to taste. Parboil for about 15 minutes, depending on the size of the fish. (Allow 15 minutes per 450 g/1 pound.) Alternatively, put all the ingredients in an earthenware pot and parboil in a fairly hot oven. When cooked, slice the salmon and eat warm with parsley sauce or cold with bread and butter.

BAKED TROUT AND BACON (T)

1 trout
thick slices of bacon
parsley, finely chopped
salt and pepper

Line a pie dish with the thick slices of bacon. Cut off the head, split and clean the trout and place on the bacon. Sprinkle with chopped parsley, salt and pepper. Cover and bake for about 20 minutes (gas mark 4/350°F/180°C).

KEDGEREE O BYSGOD WEDI'U MYGU

310 g/11 owns o reis basmati neu reis grawn hir
pinsied o saffrwm (yn ôl eich dewis)
450 ml/ychydig dros dri chwarter peint o stoc
    cyw iâr
2 ffiled o frithyll wedi'u mygu
5 o sibwns (sialots) wedi'u torri
12 o wyau sofliar wedi'u mygu (Deri Môn)
    neu 3 wy pen domen wedi'u berwi'n galed
½ potel o saws cyri
2 lond llwy fwrdd o goriander ffres wedi'i falu
1 lemwn neu leim

Coginwch y reis yn y stoc cyw iâr gyda'r
saffrwm (os am ei ddefnyddio). Tynnwch
esgyrn y pysgod a'u torri'n ddarnau mawr.
Torrwch 8 o'r wyau sofliar yn eu hanner, neu'r
wyau pen domen yn chwarteri. Rhowch y reis
wedi'i goginio mewn dysgl addas i'w rhoi yn y
ffwrn ac ychwanegu'r pysgod, y sibwns a'r
wyau. Cymysgwch y saws cyri yn ofalus i'r
gymysgedd. Rhowch y ddysgl ar silff ganol
ffwrn weddol boeth a choginwch am 10
munud. Ychwanegwch groen a sudd y lemwn
neu'r leim, blaswch ac ychwanegwch halen a
phupur yn ôl yr angen. Addurnwch â
choriander ffres a'r wyau cyfan sy'n weddill.

SMOKED FISH KEDGEREE

310 ml/11 oz basmati or long grain rice
a pinch of saffron (optional)
450 ml/a little over three quarter pints of
    chicken stock
2 fillets of smoked trout
5 spring onions, chopped
12 smoked quails' eggs (Deri Môn)
    or 3 hens' eggs, hard boiled
½ bottle curry sauce
2 tablespoons fresh coriander, chopped
1 lemon or lime

Cook the rice in the chicken stock with the
saffron (if using). Bone the fish and cut into
large pieces. Cut 8 of the quails' eggs in half, or
the hens' eggs into quarters. Put the cooked
rice into an ovenproof bowl and add the fish,
spring onions and eggs. Gently stir in the curry
sauce. Place on the middle shelf of a moderate
oven and cook for 10 minutes. Add the grated
rind and juice of the lemon or lime, taste and
season with salt and pepper. Garnish with fresh
coriander and the remaining uncut eggs.

Cochi eog; canapes eog coch Môn
Smoking salmon; Anglesey cured salmon canapes

SALAD EOG, AFOCADO AC OREN

1 ffiled (tua 150 g/5 owns) o eog
1 oren
1 afocado aeddfed
½ sypyn o sibwns (sialots)
sypyn bach o ferw dŵr
75 g/3 owns o sbigoglys ifanc
1 ewin garlleg
2 lond llwy fwrdd o olew olewydd
llond llwy fwrdd o finegr gwin coch
llond llwy de o hadau cwmin wedi'u rhostio
halen a phupur du
cennin syfi wedi'u torri

Twymwch badell a choginwch yr eog, gyda'i groen ar wyneb y badell, am 2 funud, cyn ei droi a choginio'r ochr arall am 2 funud. Gadewch iddo oeri, tynnwch y croen ac yna'i dorri'n ddarnau mawr. Pliciwch yr oren a'i dorri'n ddarnau mawr uwchben dysgl er mwyn dal y sudd i gyd. Gosodwch y darnau oren ar blât a rhowch y sibwns wedi'u torri drostynt. Pliciwch yr afocado a'i sleisio'n dafelli tenau cyn eu gosod ar y plât gyda'r oren. Rhowch y sbigoglys a'r berw dŵr ar ben yr oren a'r afocado ac yna'r darnau eog.

Rhowch y garlleg, yr olew, y finegr, y sudd oren, y cwmin, yr halen a'r pupur mewn pot jam a chymysgwch y cyfan yn dda. Arllwyswch yr enllyn dros y salad ac addurnwch gyda'r cennin syfi.

SALMON, AVOCADO AND ORANGE SALAD

1 salmon fillet (weighing approximately 150 g/5 oz)
1 orange
1 ripe avocado
½ bunch spring onions
1 small bunch watercress
75 g/3 oz young spinach
1 clove garlic
2 tablespoons olive oil
1 tablespoon red wine vinegar
1 teaspoon roasted cumin seeds
salt and black pepper
chopped chives

Heat a frying pan and cook the salmon, skin side down, for 2 minutes on both sides. Leave to cool, remove the skin and cut into large chunks. Peel and roughly cut the orange over a bowl to catch any juices. Arrange the orange pieces on a plate and sprinkle the spring onions on top. Peel and thinly slice the avocado and arrange on the plate with the orange. Pile the spinach and watercress on top of the orange and avocado and then add the salmon pieces.

Put the garlic, oil, vinegar, orange juice, cumin, salt and pepper in a jam jar and mix thoroughly. Pour the dressing over the salad and garnish with the chives.

Draenog y môr; pysgotwyr 'sân'
Sea bass; 'seine' fishermen

Pysgod Cregyn a Bwyd Môr

Moroedd clir yn cael eu golchi gan donnau'r Iwerydd; gwlâu llaid yn yr aberoedd; creigiau a chilfachau cysgodol – mae arfordir Cymru mor amrywiol nes ei fod yn cynnig cynefinoedd naturiol i amrywiaeth mawr o fwyd cregyn. Bu crwydro'r pyllau a'r traethau rhwng llanw a thrai yn fodd i gasglu cocos, gwichiaid, cregyn gleision, llygaid meheryn, llymeirch (wystrys) a dal ambell granc yn ei dwll ers cyn cof.

Cyn dyddiau'r crochan efydd a'r padelli coginio haearn hyd yn oed, gallai'r cogydd cyntefig goginio'r danteithion yn eu cregyn ar dân agored. Mae'r bwyd yma mor frau ac mor ddidrafferth; dim ond munud neu ddau a gymer i'w goginio.

Yn aberoedd afonydd Dyfrdwy yn y gogledd-ddwyrain a Thywi, Taf a Llwchwr yn y de-orllewin, mae gwlâu cocos eithriadol o doreithiog. Roedd gwragedd Pen-clawdd ger Llanelli yn gasglwyr cocos enwog drwy Gymru, gyda'u gwisgoedd traddodiadol, eu troliau mul a'u basgedi a garient ar eu pennau wrth werthu o dŷ i dŷ yn yr ardaloedd diwydiannol. Cofiaf yn aml goginio a bwyta platiaid mawr o gocos ffres o farchnad Caerfyrddin ar fore Sadwrn, gyda bara brown a menyn a digon o finegr drostynt!

Mae'r gwymon bwytadwy a elwir yn 'lawr' yn cael ei gasglu ger Penrhyn Gŵyr ac ym Mhenfro tra bod cychwyr Conwy yn enwog ers oes y Rhufeiniaid am gasglu cregyn gleision â'u cribiniau hirion. I frecwast, gyda chig moch, wyau a chocos yr arferid bwyta bara lawr ond erbyn hyn mae cogyddion yn ei ddefnyddio mewn ryseitiau cyfoes fel y gwelir ar ddudalen 35.

Cael eu hallforio i'r marchnadoedd mwyaf fu hanes y crancod a'r cimychiaid Cymreig am flynyddoedd, ond mae cynlluniau ar droed i greu marchnad gynaliadwy yma yng Nghymru er mwyn sicrhau bod cyflenwad digonol yn aros yn y wlad. Mae rhai o drigolion cynhenid y glannau yn adnabod y tyllau crancod yn y pyllau trai yn ôl eu henwau – Twll Dan y Gwely, Twll Llaw Chwith a Thwll Rhegi, er enghraifft.

Ym mhob porthladd bychan ar hyd yr arfordir bydd cwch pysgota neu ddau yn gosod cewyll ar wely'r môr. Câi'r cewyll eu plethu o wiail lleol yn wreiddiol ond cewyll metel a rhwyd yw'r arfer bellach. Yr un yw safon y cynnyrch – cig cranc sy'n bryd ynddo'i hun a chig brenin y pysgod cregyn, y cimwch glasddu sy'n troi'n lliw coch cyfoethog ar ôl cael ei ferwi.

Shellfish and Seafood

Clear seas washed by the Atlantic's waves; mudflats in the estuaries; sheltered rocks and crevices – Wales' varied coastline offers natural habitats for a large variety of shellfish. Scouring rock-pools and beaches between tides is a means of collecting cockles, winkles, mussels, limpets, oysters and sometimes a crab nestling in its hiding hole.

Even before the days of the brass cauldron and iron cooking pans the primitive chef could prepare these delicacies in their shells on an open fire. These foods are so easy to prepare and tender to eat, taking only a few minutes to cook.

In the estuaries of the Dee in the north and Tywi, Taf and Llwchwr in the south-west, cockle beds are extremely abundant. The wives of Pen-clawdd near Llanelli were famous throughout Wales for gathering cockles, with their traditional dress and donkey carts. The cockles were carried in baskets on their heads as they sold their produce from door to door around the industrial towns and villages. I recall preparing and eating a large platefull of cockles bought on Saturday morning at Carmarthen market, with buttered brown bread and plenty of vinegar!

Conwy's mussel fishermen are famed since Roman times for harvesting mussels with their long handled rakes. 'Laver bread', an edible seaweed, is collected in Gower and Pembrokeshire and is traditionally eaten for breakfast with bacon, eggs and cockles. Chefs nowadays use it in modern recipes as seen on page 35.

For years, Welsh crabs and lobsters have been exported to larger markets overseas. However, there are plans to create a sustainable market here in Wales so that adequate supplies remain in the country. It wants to ensure that an adequate supply remains in the country. Some of our shore's native residents have names for every crab hiding hole found in the tide pools – such as 'Twll Dan y Gwely' (Hole Under the Bed), 'Twll Llaw Chwith' (Left Hand Hole) and 'Twll Rhegi' (Swearing Hole).

Every small port along the coastline has a fishing boat or two placing pots on the seabed. At one time the pots were woven from local willow; metal or net pots are used nowadays. The high quality of the produce remains – crab meat, a meal in itself, and the meat of the king of shellfish, the blue-black lobster which turns a rich red colour when boiled.

Cocos (T)

cocos ffres
menyn
saws Caerwrangon, finegr neu win gwyn
persli
bara brown a menyn

Golchwch y cocos i gael gwared â'r tywod. Ffriwch nhw mewn menyn ac ychwanegwch saws Caerwrangon, finegr, neu win gwyn. Cyn eu bwyta, ysgeintiwch ychydig o bersli wedi'i falu'n fân drostynt a'u gweini gyda bara brown a menyn.

Teisen Gocos (T)

gwerth chwech o gocos
blawd ceirch
cytew crempog

Rhowch y cocos mewn dŵr dros nos gyda blawd ceirch wedi'i daenu dros yr wyneb. Golchwch nhw'n lân a'u berwi. Trochwch y cocos mewn cymysgedd crempog a'u ffrio fesul llwyaid mewn saim poeth.

Saws Cocos

2 lond llwy fwrdd o gocos wedi'u torri'n fân
10 g/hanner owns o flawd
10 g/hanner owns o fenyn
llond llwy de o fwstard parod
150 ml/1 gil o laeth
150 ml/1 gil o ddŵr cocos

Toddwch y menyn mewn sosban a'i gymysgu â'r blawd gyda llwy bren. Ychwanegwch y llaeth, y dŵr cocos a'r mwstard. Cynheswch am 2-3 munud. Ychwanegwch y cocos a'u haildwymo'n drwyadl. Bwytewch â physgodyn gwyn wedi'i botsio a salad.

Cocos Pen-clawdd
Pen-clawdd cockles

Cockles (T)

fresh cockles
butter
Worcestershire sauce, vinegar or white wine
parsley
buttered brown bread

Wash the cockles to get rid of the sand. Fry in butter and add some Worcestershire sauce, vinegar or white wine. Before serving, sprinkle with chopped parsley and eat with buttered brown bread.

Cockle Cake (T)

sixpenny worth of cockles
oatmeal
pancake batter

Leave the cockles covered in water overnight with the oatmeal sprinkled on top. Clean thoroughly and boil. Dip in the pancake batter and fry spoonfuls in hot fat.

Cockle Sauce

2 tablespoons chopped cockles
10 g/half oz flour
10 g/half oz butter
1 teaspoon made up mustard
150 ml/1 gill milk
150 ml/1 gill cockle water

Melt the butter in a saucepan and stir in the flour using a wooden spoon. Stir in the milk, cockle water and mustard. Heat gently for 2-3 minutes. Add the chopped cockles and re-heat thoroughly. Serve with poached white fish and salad.

PELI BARA LAWR A LEMWN

Gwneir bara lawr o'r gwymon *Porphyra umbilicalis* a elwir yn 'lafwr'. Caiff y lafwr du, sgleiniog ei gasglu oddi ar greigiau pan fydd y môr ar drai cyn ei olchi a'i ferwi am 6 awr neu fwy hyd nes y bydd yn ddigon tyner i'w stwnshio'n fân. Caiff ei fwyta'n ffres neu o dun. Yn draddodiadol, fe'i cymysgir â blawd ceirch a'i ffrio mewn saim cig moch i wneud cacen wedi'i chrimpio'n hyfryd i frecwast.

Digon i 4-6

1 winwnsyn (nionyn) gweddol o faint wedi'i bilio
    a'i dorri'n fân
2 ewin garlleg wedi'u pilio a'u malu'n fân
llond llwy fwrdd o olew llysiau
110 g/4 owns o friwsion bara gwyn neu frown
    ffres
croen a sudd 1 lemwn
2 lond llwy fwrdd orlawn o fara lawr ffres neu o dun
llond llwy fwrdd o fintys ffres wedi'i falu'n fân

Twymwch yr olew mewn padell ffrio drom a choginio'r winwnsyn a'r garlleg dros dân cymedrol nes eu bod yn feddal. Tynnwch y badell oddi ar y tân ac ychwanegwch y cynhwysion eraill. Cymysgwch nhw'n dda ac ychwanegu ychydig o bupur a halen môr, ond nid gormod gan fod bara lawr yn medru bod yn hallt. Ffurfiwch rhyw ddeg o beli bychain a'u rhoi ar dun pobi wedi'i iro. Coginiwch yn y ffwrn (nwy 4/350°F/180°C) am 20 munud neu hyd nes y byddant yn frown euraidd ac wedi crimpio'n dda.

Amrywiadau: gellir ychwanegu 50 g/2 owns o gnau cyll neu gnau pinwydd (*pine nuts*), neu roi coriander, persli neu deim lemon yn lle'r mintys.

Gellir gweini'r peli fel stwffin gyda darn o Gig Oen Cymru a'u coginio gyda'r cig am yr 20 munud olaf, neu gellir defnyddio'r cymysgedd i stwffio ysgwydd o Gig Oen Cymru heb asgwrn a'i rholio. Neu gellir llenwi madarch mawr agored a'u coginio ar dun pobi am 20 munud. Rhowch ychydig o gaws glas drostynt a'u gweini gyda salad crensiog.

Cregyn; bara lawr; cimychiaid
Scallops; laverbread; lobsters

LAVER BREAD AND LEMON BALLS

Laver bread is made from the edible *Porphyra umbilicalis* seaweed. The black, shiny laver is collected from the seaside rocks when the tide is out, then washed and boiled for 6 hours or more until tender enough to mash into a purée. It is eaten fresh or from a tin. Traditionally, laver is mixed with oatmeal and fried in bacon fat to form a crisp cake for breakfast.

Serves 4-6

1 medium onion, peeled and finely chopped
2 garlic cloves, peeled and finely chopped
1 tablespoon vegetable oil
110 g/4 oz white or wholemeal fresh breadcrumbs
juice and zest of 1 lemon
2 rounded tablespoons fresh or tinned laver
1 tablespoon fresh mint, chopped

Heat the oil in a heavy-based frying pan and cook the onions and garlic over a moderate heat until soft. Remove the frying pan from the heat and add the rest of the ingredients. Mix well before adding some freshly-milled black pepper and sea salt – but not too much as laver can be salty. Form into about ten small balls and place on a greased baking tray. Cook for 20 minutes (gas mark 4/350°F/180°C) until golden brown and crispy.

Variations: 50 g/2 oz hazelnuts or pine nuts can be added to the mixture, and coriander, parsley or lemon thyme can be used instead of mint.

When cooking Welsh Lamb, put the laver balls in the roasting tin with the meat for the final 20 minutes cooking time, or use the mixture to stuff a boneless shoulder of Welsh Lamb, then roll and roast. Alternatively, use the mixture to fill large, open mushrooms and cook for 20 minutes on a greased baking tray. Sprinkle some blue cheese on top and serve with a crunchy salad.

RISOTO BWYD MÔR PEN-CLAWDD

1 litr/1¾ peint o stoc pysgod
  wedi'i wneud â 2 giwb stoc)
250 ml/8 owns hylifol o win gwyn sych
375 g/13 owns o reis arborio
2 genhinen fach wedi'u golchi a'u torri'n fân
llond llwy fwrdd o fenyn
lond llwy fwrdd o olew olewydd
125 g/4½ owns o gocos ffres neu o dun
125 g/4½ owns o gregyn gleision ffres
  neu o dun
llond llwy fwrdd orlawn o fara lawr ffres neu o dun
50 g/2 owns o gaws caled aeddfed wedi'i gratio'n
  fras (yn ôl eich dewis)

Rhowch y stoc a'r gwin mewn sosban fawr dros
wres cymedrol gan ei godi i fudferwi'n araf.
Rhowch yr olew olewydd a'r menyn mewn
sosban drom dros wres cymedrol.
Ychwanegwch y cennin a'u coginio nes
byddant yn feddal. Ychwanegwch y reis at y
cennin a'u troi am funud neu nes bydd y reis yn
dechrau coginio. Yn araf bach ychwanegwch
lond lletwad o stoc poeth a'i droi nes bydd y
reis wedi'i amsugno. Daliwch ati i ychwanegu'r
stoc nes bydd y reis yn feddal a'r risoto'n
hufennog. Os bydd angen rhagor o hylif,
ychwanegwch fwy o stoc neu ddŵr poeth.
Dylai'r reis mewn risoto fod yn dyner ond nid
yn feddal. Pan fydd y reis yn barod,
ychwanegwch y cocos, y cregyn gleision, y bara
lawr a'r caws (yn ôl eich dewis) a'u troi.
Ychwanegwch bupur du – efallai na fydd
arnoch angen halen gan fod y stoc a'r bwyd
môr eisoes yn hallt. Gweinwch yn boeth ar wely
o lysiau gwyrdd wedi'u stemio neu gyda salad
gwyrdd a'i addurno â darn o lemwn a dil ffres
wedi'i falu'n fân. Gellir defnyddio cregyn
gleision wedi'u sychu trwy fwg neu ychwanegu
200 g/7 owns o fwyd môr cymysg (i'w gael
mewn siopau pysgod).

Cregyn gleision/Mussels
Cynnyrch traddodiadol Conwy
Traditionally harvested at Conwy

PEN-CLAWDD SEAFOOD RISOTTO

1 litre/1¾ pints fish stock
  (made from 2 stock cubes)
250 ml/8 fl oz dry white wine
375 g/13 oz arborio rice
2 small leeks, washed and finely cut
1 tablespoon butter
1 tablespoon olive oil
125 g/4½ oz fresh or tinned cockles
125 g/4½ oz fresh or tinned mussels
1 rounded tablespoon tinned or fresh laver
50 g/2 oz mature hard cheese, grated (optional)

Pour the stock and wine into a large saucepan
and bring to a slow simmer over a low heat. Put
the olive oil and butter in a heavy-based
saucepan over a moderate heat. Add the leeks
and cook until soft. Add the rice and stir for a
minute or until the rice starts to cook. Very
slowly pour in the stock, a ladleful at a time,
stirring until it has been absorbed. Continue to
add the stock until the risotto is soft and
creamy. If more liquid is needed, use some
more hot stock or water. Risotto rice should be
al dente and not too mushy. When the rice is
ready, fold in the cockles, mussels, laver bread
and cheese (optional). Add some freshly-milled
black pepper – you may not need to add any
salt as the stock and seafood can be salty. Serve
immediately on a bed of steamed green
vegetables or with a green salad and garnish
with lemon pieces and finely chopped fresh dill.
Smoked mussels can be used, or 200 g/7 oz
mixed seafood (available from fishmongers).

SBAGETI CREGYN GLEISION

1 cilo/2 bwys 4 owns o gregyn gleision ffres
tusw o bersli, llawryf a theim ffres wedi'u clymu
150 ml/chwarter peint o win gwyn sych
450 g/1 pwys o sbageti
4 llond llwy fwrdd o olew olewydd
1 winwnsyn (nionyn) wedi'i dorri'n fân
3 ewin garlleg wedi'u gwasgu
400 g/14 owns o domatos aeddfed heb y croen
        na'r hadau, wedi'u torri
llond llwy fwrdd o biwrî tomato
4 llond llwy fwrdd o bersli ffres wedi'i falu

Paratowch a glanhewch y cregyn gleision drwy dorri'r barfau a gwaredu'r rhai sydd wedi agor neu dorri. Arllwyswch tua 1 cm/hanner modfedd o ddŵr i sosban fawr gyda'r perlysiau. Rhowch y sosban ar dân cymedrol nes bod y dŵr yn berwi. Ychwanegwch y gwin ac yna'r cregyn gleision. Rhowch gaead ar y sosban a gadewch i'r cregyn gleision goginio ar wres uchel nes eu bod wedi agor. Rhowch y cregyn drwy hidlen a chadwch yr hylif. Tynnwch rai o'r cregyn gleision o'u cregyn.

Coginwch y pasta mewn sosbenaid o ddŵr berwedig a phan fyddant yn barod gwaredwch y dŵr. Cyn i'r pasta orffen coginio, twymwch yr olew mewn padell ffrio a choginwch yr winwnsyn a'r garlleg am ryw 5 munud. Ychwanegwch hylif y cregyn gleision a berwch y cyfan yn dda nes bod y cymysgedd wedi tewychu i'w hanner. Ychwanegwch y tomatos a'r piwrî tomato a choginwch eto am tua 5 munud. Yna ychwanegwch y cregyn gleision, y persli ffres a digon o bupur du. Twymwch y cyfan yn iawn cyn ei arllwys dros y pasta a gweinwch ar unwaith.

MUSSEL SPAGHETTI

1 kg/2 pounds 4 oz fresh mussels
tied bunch of parsley, bay and fresh thyme
150 ml/quarter pint dry white wine
450 g/1 pound spaghetti
4 tablespoons olive oil
1 onion, finely chopped
3 garlic cloves, crushed
400 g/14 oz ripe tomatoes, skin and seeds
        removed, chopped
1 tablespoon tomato purée
4 tablespoons fresh parsley, finely chopped

Wash and clean the mussels by removing the beards. Throw away any that are open or cut. Pour approximately 1 cm/ half an inch of water into a large saucepan along with the herbs. Place on a moderate heat until the water starts to boil. Add the wine and then the mussels. Cover and cook over a high heat until the mussels open. Pour the contents of the saucepan into a colander, reserving the liquid. Remove some mussels from their shells.

Cook the pasta in boiling water and then drain. Before the pasta is ready, heat the oil in a frying pan and then add the onion and garlic and cook for about 5 minutes until softened. Pour in the liquid from the mussels and boil until the sauce has reduced by half. Add the tomatoes and tomato purée and cook once more for a further 5 minutes. Then add the mussels, fresh parsley and plenty of freshly milled black pepper. Heat thoroughly before pouring over the pasta and serve immediately.

Cig Eidion

Beef

Cig Eidion

Beef

Mae caeau a thiroedd ffermydd Cymru wedi bod yn gartref i fridiau cynhenid o wartheg ers miloedd o flynyddoedd. Yn nyddiau'r llwythau Celtaidd cynnar, anaml y câi'r eidion eu lladd ar gyfer eu cig – dim ond ar gyfer gwleddoedd arbennig. Roedd maint gyr o wartheg yn arwydd o gyfoeth a statws dyn ac mae'n arwyddocaol o hyd mai'r gair am 'wartheg' yn nhafodieithoedd de Cymru yw 'da', sef 'arian' neu 'eiddo'. Y gwartheg yn eu llawn dwf – yr ychen – oedd yn cael eu defnyddio i aredig a thynnu troliau yn yr hen ddyddiau.

Mae'r hen flwyddyn Geltaidd a'r hen batrymau byw yn cael eu cadw o hyd yn y ffermydd hynny sy'n parhau i arddel yr enwau 'Hafod' neu 'Hendref'. Dau dymor oedd i galendr y Celtiaid: y gaeaf, o Galan Gaeaf (y 1af o Dachwedd) hyd ddiwedd Ebrill, a'r haf, o Galan Mai hyd ddiwedd mis Hydref. Treuliai'r gwartheg a'r teuluoedd y gaeaf yn yr 'hendref', y cartref ar lawr gwlad lle ceid y tywydd mwynaf a'r borfa orau yn ystod y tymor caled. Yna, wedi Calan Mai, gyrrid y gwartheg i ffriddoedd uchel y mynydd-dir i dreulio'r haf ar y borfa ysgafn yno a byddai'r bugeiliaid – y genhedlaeth ifanc fel rheol – yn byw yno yn yr hafod, gan gario menyn a llaeth i'r hendref bob hyn a hyn. Mae'r patrwm hwn yn parhau i raddau o hyd, er nad yw teuluoedd cyfan yn symud erbyn hyn.

Cynhelid coelcerthi ar Galan Mai a Chalan Gaeaf a'r arfer oedd gyrru'r gwartheg drwy farwor coch gweddillion y tanau er mwyn eu 'glanhau' o afiechydon. Mis Tachwedd oedd mis lladd yr anifeiliaid na ellid eu porthi dros y gaeaf a halltu'r cig a'i gadw, neu ei rostio yn y gwleddoedd a gynhelid i ddathlu bod y teuluoedd yn ôl gyda'i gilydd drachefn.

O ddiwedd yr Oesoedd Canol hyd at ddyfodiad y rheilffyrdd, byddai gyrroedd rheolaidd o eidion yn cael eu gyrru o fynyddoedd a bryniau Cymru i farchnadoedd cig canolbarth Lloegr a dinas Llundain yn arbennig. Roedd bywyd y porthmyn Cymreig yn un caled a pheryglus yn aml, ond roedd rhamant yn perthyn iddynt hefyd ac mae'n wybyddus bod cig eidion Cymreig yn boblogaidd ers canrifoedd lawer. Duon oedd llawer o'r gwartheg hynny ac ers ei sefydlu yn 1904 mae'r Gymdeithas Gwartheg Duon Cymreig wedi lledaenu enw da'r brid ar draws y byd ac mae gan 'Cig Oen Cymru' a 'Chig Eidion Cymru' Ddynodiad Daearyddol Gwarchodedig (PGI). Mae'r PGI yn rhoi sicrwydd i ddefnyddwyr taw dim ond ŵyn a gwartheg a aned ac a faged yng Nghymru ac a laddwyd mewn lladd-dai cymeradwy y gellir eu marchnata fel rhai o Gymru. Yn ogystal, rhaid medru olrhain hanes yr anifeiliaid yn llwyr.

The Welsh farmland has been home to native breeds of cattle for thousands of years. Early Celtic tribes rarely slaughtered their animals for meat, doing so only for special feasts. The owner's wealth and status would be reflected by the size of his herd. It is worth noting that the word for cattle still in use in south Wales is 'da' (meaning 'money' or 'possession'). Oxen – the fully grown cattle – would be used for ploughing and wagon-pulling in the olden days.

We are reminded of the Celtic calendar and the early way of life in the old farm names 'Hafod' (summer retreat) and 'Hendref' (old town or home). The Celtic year had only two seasons: winter, from All Saint's Day (1st of November) until the end of April, and summer, from May Day until the end of October. Whole families and cattle lived at home in the 'hendref' over the winter months, where there would be milder weather and better grazing for the animals over the hard months ahead. Then, after May Day, the cattle would be driven upland for the summer months and the shepherds – usually the younger generation – would live in the 'hafod', bringing down butter and milk to the 'hendref' from time to time. To some extent this pattern still exists, however entire families rarely move nowadays.

Bonfires would be lit on May Day and All Saint's Day and the cattle driven over the hot burning ashes to 'clean away' or rid them of any diseases. The animals that could not be fed over the winter months would be slaughtered in November and the meat cured and kept, or roasted to celebrate the family reunion.

From the latter part of the Middle Ages until the age of the railways, regular herds of cattle would be driven from the Welsh uplands to the markets of central England, and in particular to London. Life was hard and dangerous for the Welsh drovers, albeit that it held some romance, and it is a well-known fact that Welsh beef has been popular for centuries. Most of these were black cattle and since founding the Welsh Black Cattle Society in 1904, the breed's reputation is by now well-known worldwide. 'Welsh Lamb' and 'Welsh Beef' has been granted PGI (Protected Geographical Index) giving the consumer added assurance that only Welsh bred lamb and beef, slaughtered in approved slaughter houses, are sold as Welsh produce. The animal's origin must also be traceable.

Salad twym o Gig Eidion a Pherlysiau

stecen ffiled 225 g /8 owns o Gig Eidon Cymru
saws Caerwrangon
llond llwy fwrdd o olew llysiau
275 g/10 owns o domatos bach
175 g/6 owns o sialots wedi'u pilio a'u haneru
110 g/4 owns o fadarch bach
150 g/5 owns ffa Ffrengig

Enllyn:

3 llond llwy fwrdd o olew olewydd
llond llwy fwrdd o finegr balsamig
llond llwy de o ruddygl poeth ffres neu o botyn
    (wedi'i gratio)
1 ewin garlleg wedi'i falu
llond llwy de o fwstard
llond llwy fwrdd o gennin syfi ffres
llond llwy fwrdd o frenhinllys ffres

Golchwch y cig a rhowch ychydig o saws
Caerwrangon drosto. Twymwch badell ffrio
drom a choginiwch y cig yn sych ar bob ochr
am 6-8 munud cyn ei godi ar blât i oeri yn
gyfan gwbl. Yn yr un badell ffrio, twymwch yr
olew, ychwanegwch y sialots a'u coginio ar wres
cymedrol nes byddant yn euraidd.
Ychwanegwch y madarch a'u coginio am
ychydig funudau. Rhowch y ffa mewn dŵr
berwedig am ddau funud cyn eu trochi o dan y
tap dŵr oer am o leiaf munud nes byddant yn
oer. Sychwch nhw'n dda. Cymysgwch
gynhwysion yr enllyn gyda'i gilydd, heblaw am
y perlysiau, a'u harllwys i'r badell ffrio boeth.
Crafwch y badell gyda llwy bren a throi'r cyfan
am funud neu ddwy. Tynnwch oddi ar y tân.
Torrwch y cig yn stribedi tenau a'u cymysgu
gyda'r llysiau i gyd, gan gynnwys y tomatos.
Ychwanegwch hanner y perlysiau i'r enllyn a'i
arllwys dros y salad, gan addurno'r salad â
gweddill y perlysiau.

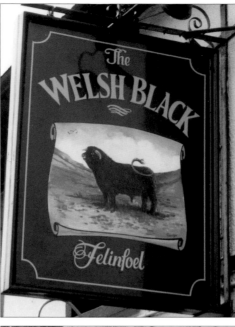

Gwartheg Duon Cymreig/Welsh Black Cattle

WARM BEEF AND FRESH HERB SALAD

225 g/8 oz fillet steak of Welsh Beef
Worcestershire sauce
1 tablespoon vegetable oil
275 g/10 oz cherry tomatoes
175 g/6 oz shallots, peeled and halved
110 g/4 oz button mushrooms
150 g/5 oz French beans

Dressing:

3 tablespoons olive oil
1 tablespoon balsamic vinegar
1 teaspoon freshly grated horseradish or from a jar
1 garlic clove, chopped
1 teaspoon mustard
1 tablespoon fresh chives
1 tablespoon fresh basil

Wash the meat. Put it in a bowl and pour over
some Worcestershire sauce. Heat a heavy based
frying pan and dry cook the meat on all sides
for 6-8 minutes before lifting it onto a plate and
leaving it to cool completely. In the same frying
pan, heat the oil, add the shallots and cook over
a moderate heat until golden brown. Add the
mushrooms and cook for a few minutes. Put
the beans in boiling water for a couple of
minutes before soaking in cold water for at least
a minute until cold. Dry thoroughly. Mix
together the ingredients for the dressing, apart
from the herbs, and pour into the hot frying
pan. Scrape the pan with a wooden spoon and
stir for a minute or two, then remove from the
heat. Cut the meat into thin strips and mix with
the vegetables, including the tomatoes. Add
half the herbs to the dressing and pour over the
salad, then garnish with the remaining herbs.

CAWL MÊR (T)

asgwrn eidion â mêr ynddo
2 winwnsyn (nionyn) mawr
halen a phupur

Golchwch yr asgwrn a'i roi mewn sosban fawr gyda'r winwns a'r halen a phupur. Gorchuddiwch â dŵr. Codwch i'r berw a'i adael i fudferwi am tua dwyawr. Tynnwch yr asgwrn a bydd gennych botes gwerth chweil gyda digon o lygaid ar ei wyneb, naill ai i'w fwyta fel y mae neu i'w ddefnyddio fel stoc ar gyfer cawl, gan ychwanegu rwdan, moron, tatws, cennin a pherlysiau iddo.

STIW BÔN Y GWT (T)

2 gilo/4 pwys ac 8 owns o ddarnau o gynffon ych
halen a phupur
menyn neu olew
1 winwnsyn (nionyn) mawr wedi'i bilio a'i sleisio
4 ewin garlleg mawr wedi'u pilio a'u torri'n fân
clapyn o sinsir ffres wedi'i bilio a'i dorri'n fân
275 ml/hanner peint o stoc eidion da, poeth
2 lond llwy fwrdd o siwgwr brown meddal

Rhowch y darnau cig mewn dysgl fawr ac ychwanegu halen a phupur i flasu. Poethwch badell fawr nad yw'n glynu a rhoi'r menyn neu'r olew ynddi i doddi. Yna coginiwch y darnau cig bob yn dipyn am rhyw 3–4 munud nes eu bod wedi crimpio. Codwch y cig i ddysgl gaserol 2.8 litr/5 peint sy'n addas i'w rhoi yn y ffwrn. Rhowch ragor o fenyn neu olew yn yr un badell os oes angen a choginio'r winwnsyn, y garlleg a'r sinsir am 5 munud ar wres gweddol nes eu bod yn feddal a'u rhoi ar ben y cig yn y ddysgl gaserol. Ychwanegwch weddill y cynhwysion, dod â'r cyfan i'r berw, gostwng y gwres, rhoi caead ar y ddysgl a choginio'r stiw yn y ffwrn (nwy 3/325°F/170°C) neu ar y tân ar ben y ffwrn am 3½ awr. Bwytewch gyda thatws, panas a llysiau tymhorol.

MARROW BROTH (T)

beef bone with marrow
2 large onions
salt and pepper

Wash the bone and put it in a large saucepan. Add the onions and season to taste. Cover with water. Bring to the boil and leave to simmer for approximately 2 hours. Remove the bone and you will be left with a tasty soup, to be eaten as it is or used as stock when cooking a broth by adding swede, carrots, potatoes, leeks and herbs.

BRAISED OXTAIL (T)

2 kg/4 lb 8 oz oxtail pieces
salt and pepper
butter or oil
1 large onion, peeled and sliced
4 large garlic cloves, peeled and finely chopped
1 piece fresh root ginger, peeled and finely chopped
275 ml/half pint good, hot beef stock
2 tablespoons light brown sugar

Put the oxtail in a large bowl and season. Heat a large non-stick frying pan, add the butter or oil and cook the oxtail pieces in batches for 3-4 minutes until brown. Transfer to a 2.8 litre/5 pint ovenproof casserole. In the same frying pan add more butter or oil, if required, and cook the onion, garlic and ginger for 5 minutes over a moderate heat until soft, then transfer into the casserole dish. Add the remaining ingredients, bring to the boil, reduce the heat, cover and cook in the oven (gas mark 3/325°F/170°C) or on the hob for 3½ hours. Serve with potatoes, parsnips and seasonal vegetables.

FFILED O GIG EIDION GYDAG ENLLYN MWSTARD A MINTYS

ffiled 450 g/pwys o gig eidion (yr ochr drwchus)
hanner llond llwy fwrdd o Halen Môn
llond llwy fwrdd o bupur du cyfan
olew olewydd

Enllyn:

llond llwy fwrdd o fwstard grawn cyflawn
sudd hanner lemwn
mintys (tua 20 deilen)
2 felynwy
4-5 llond llwy fwrdd o olew olewydd

lemwn i weini

Poethwch y ffwrn (nwy 8/425°F/220°C). Defnyddiwch bestl a mortar i falu'r pupur du cyn ei gymysgu â'r halen. Rhowch ychydig o olew olewydd ar y cig ac yna'i wasgu'n iawn yn yr halen a phupur gan sicrhau ei fod wedi'i orchuddio i gyd. Cynheswch 2 lond llwy fwrdd o olew olewydd mewn tun rhostio a'i arllwys dros y cig nes bod yr olew yn hisian, cyn ei daro yn y ffwrn am 10 munud yn unig nes bydd y ffiled wedi brownio. Tynnwch y cig allan a'i adael i oeri'n gyfan gwbl.

Paratowch yr enllyn drwy roi'r mwstard, y sudd lemwn, y mintys a'r melynwy mewn prosesydd bwyd a'u cymysgu am ychydig eiliadau. Ychwanegwch yr olew yn araf a'i gymysgu eto nes bydd yr enllyn wedi tewychu fel hufen dwbl. Torrwch sgleisenni tenau o'r cig eidion a'i weini gyda'r enllyn a darn o lemwn am ei ben.

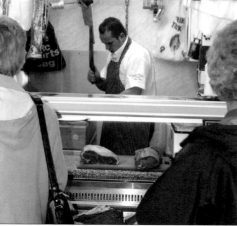

FILLET OF BEEF WITH MUSTARD AND MINT DRESSING

450 g/1 lb thick fillet of beef
half tablespoon Halen Môn sea salt
1 tablespoon whole peppercorns
olive oil

Dressing:

1 tablespoon wholegrain mustard
juice of half a lemon
mint (approx. 20 leaves)
2 egg yolks
4-5 tablespoons olive oil

lemon to garnish

Pre-heat the oven (gas mark 8/425°F/220°C). Use a pestle and mortar to grind the peppercorns then mix with the salt. Rub some olive oil all over the meat before firmly pressing it into the salt and pepper until well covered. Heat 2 tablespoons of olive oil in a roasting tin and pour over the meat until sizzling, then cook in the oven for just 10 minutes until browned. Remove the meat from the oven and leave to cool completely.

Prepare the dressing by mixing the mustard, lemon juice, mint and egg yolks in a food processor for a few seconds. Gradually add the oil and mix until thickened to the consistency of double cream. Slice the beef thinly, pour over the dressing and garnish with a wedge of lemon.

Tatws Popty Eidion (t)

Dyma'r math o fwyd a oedd yn boblogaidd yng Nghymru flynyddoedd maith yn ôl. Gellir ei weini gyda moron, pys a brocoli gyda'r pryd hwn ac i ddilyn beth am grymbl afal a chwstard, neu hufen iâ a theisen siocled?

darn o Gig Eidion Cymru
tatws wedi'u pilio a'u torri'n chwarteri
1 winwnsyn (nionyn) wedi'i bilio a'i dorri'n fân
570 ml/peint o ddŵr oer
llond llwy de o frownin grefi

Rhowch y cig mewn dysgl gaserol gyda'r dŵr a'r winwnsyn. Coginiwch yn y ffwrn (nwy 6/400°F/200°C) am 2½ awr. Ychwanegwch y tatws a'r brownin grefi ac yna'i roi yn ôl yn y ffwrn am awr arall.

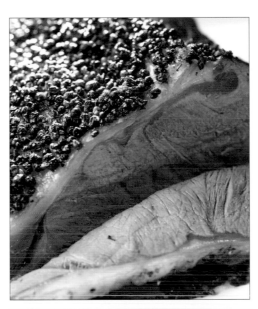

Oven-cooked Potatoes and Beef (t)

This type of traditional fare was very popular in Wales a long time ago. It can be served with carrots, peas and broccoli and to follow, how about apple crumble and custard or chocolate cake and ice cream?

Welsh Beef
potatoes, peeled and cut into quarters
1 onion, peeled and finely chopped
570 ml/1 pint cold water
1 teaspoon gravy browning

Put the meat, water and onion in a casserole dish. Cook in the oven (gas mark 6/400°F/200°C) for 2½ hours. Add the potatoes and gravy browning and return to the oven for a further 1 hour.

Cig eidion Cymreig
Premium Welsh Beef

CYRI CIG EIDION

2 chili wedi'u sychu a'u torri'n ddarnau
1 darn o bren sinamon
10 grawn pupur du
2 lond llwy de o hadau cwmin
2 glôf cyfan
700 g/pwys a hanner o stêc cig eidon wedi'i dorri'n ddarnau
olew blodyn yr haul
4 winwnsyn (nionyn) wedi'u sleisio'n denau
2 ewin garlleg wedi'u malu'n fân
llond llwy de o sinsir ffres wedi'i blicio a'i falu'n fân
50 g/2 owns o almonau mâl
halen

Twymwch badell ffrio fechan ar dân isel a rhostiwch y darnau chili sych am ychydig funudau cyn eu rhoi mewn prosesydd bwyd bychan. Rhowch weddill y sbeisys yn y badell a'u rhostio am funud neu ddwy gan eu troi bob hyn a hyn. Ychwanegwch y rhain at y chili a'u cymysgu yn y prosesydd nes byddant yn bowdwr. (Gallwch falu'r cyfan mewn pestl a mortar os dymunwch.) Mewn dysgl fawr, trochwch y cig a llond llwy fwrdd o olew yn y powdwr sbeis (gwisgwch fenyg rwber rhag ofn i chi rhwbio'r chili ar eich bysedd). Gorchuddiwch y ddysgl a'i rhoi yn yr oergell dros nos.

Mewn sosban weddol o faint ar dân cymedrol, twymwch rhyw 4 llond llwy fwrdd o olew cyn ychwanegu'r winwns, y garlleg a'r sinsir. Coginiwch am tua 10 munud nes y byddant yn euraidd. Ychwanegwch y cig a gadewch iddo frownio. Ychwanegwch 500 ml/ychydig llai na pheint o ddŵr, yr almonau a phinsied o halen. Dewch â'r cyfan i'r berw cyn gostwng y gwres, rhoi caead ar y sosban a'i adael i ffrwtian yn araf am tuag awr. Bwytewch y cyri gyda reis a chatwad mango.

Edwards o Gonwy – cigydd blaengar
Edwards of Conwy – a modern-day butcher

BEEF CURRY

2 dry chillies, chopped
1 cinnamon stick
10 whole black peppercorns
2 teaspoons cumin
2 whole cloves
700 g/1½ lb beef steak, cut into chunks
sunflower oil
4 onions, thinly sliced
2 garlic cloves, chopped
1 teaspoon fresh ginger, peeled and finely cut
50 g/2 oz ground almonds
salt

Pre-heat a small frying pan over a low heat and dry roast the chillies for a few minutes before grinding in a small food processor or electric grinder. Place the remaining spices in the frying pan and roast for a few minutes, stirring from time to time. Add to the chillies and mix in the food processor until it resembles fine powder. (The spices can be ground in a pestle and mortar if preferred.) Then, in a large bowl, coat the meat in the spices along with a tablespoon of oil (remembering to wear a pair of rubber gloves to protect your fingers from the hot chillies). Cover the bowl and place in the refrigerator overnight.

In a fairly large saucepan over a medium heat, heat 4 tablespoons of oil and fry the onions, garlic and ginger for 10 minutes or so until golden brown. Add 500 ml/a little less than a pint of water, the almonds and a pinch of salt. Bring to the boil, reduce the heat, cover and simmer gently for an hour or so. Serve the curry with rice and mango chutney.

EIDION TRO POETH

Digon i 4

450 g/pwys o Gig Eidion Cymru (syrlwyn,
    crwper neu gig ffrio'n sydyn) wedi'i dorri'n
    stribedi tenau
llond llwy de o olew
2 ewin garlleg wedi'u malu'n fân
darn 2 cm/tri chwarter modfedd o sinsir ffres
    wedi'i blicio a'i falu'n fân
1 chili coch neu wyrdd, heb hadau ac wedi'i
    sleisio'n denau
2 lond llwy fwrdd o siwgwr muscovado neu
    siwgwr coch
2 lond llwy fwrdd o saws soy golau
1 corbwmpen (courgette) ganolig wedi'i thorri'n
    stribedi tenau iawn
3 sibwnsyn wedi'u torri'n stribedi tenau
hanner pupur coch wedi'i dorri'n stribedi
    tenau iawn

Cynheswch yr olew am ychydig eiliadau mewn
woc neu sosban fawr nad yw'n glynu. Ffriwch y
garlleg, y sinsir a'r chili am 1-2 funud.
Ychwanegwch y cig eidion a'i ffrio am 2-3
munud, neu nes bydd yn frown euraidd.
Ychwanegwch y pupur a'r gorbwmpen a'u ffrio
am 2-3 munud arall. Ysgeintiwch y siwgwr a'r
saws soy dros y cyfan a'u coginio ar dân poeth
am 2 funud nes bydd y siwgwr wedi
carameleiddio. Gweinwch ar fynydd o reis neu
nwdls mewn dysglau bach gydag ychydig o
sibwns ar ben y cyfan.

Rhai bridiau traddodiadol Cymreig
Some of the traditional Welsh cattle breeds

CHILLI BEEF STIR-FRY

Serves 4

450 g/1 lb lean Welsh Beef (sirloin, rump or flash
    fry steaks) cut into thin strips
1 teaspoon oil
2 garlic cloves, peeled and crushed
2 cm/three quarter inch piece of root ginger,
    peeled and grated
1 red or green chilli, de-seeded and finely sliced
2 tablespoons muscovado or brown sugar
2 tablespoons light soy sauce
1 medium courgette cut into very thin strips
3 spring onions cut into thin strips
half red pepper cut into thin strips

Heat the oil in a large non-stick wok or
saucepan for a couple of seconds. Fry the garlic,
ginger and chilli for 1-2 minutes. Add the beef
and cook for 2-3 minutes, or until browned.
Add the pepper and courgette and cook for a
further 2-3 minutes. Sprinkle in the sugar and
soy sauce and cook on a high heat for 2
minutes until the sugar caramelises. Serve in
individual bowls on top of boiled rice or
noodles and scatter with the spring onions.

Cig Oen

Lamb

Cig Oen

Mae Cig Oen Cymru, dan liwiau'r faner genedlaethol, ar gael ar gownteri cigyddion gorau Ewrop heddiw. Gyda'i faint delfrydol – heb fod yn rhy drwm nac yn rhy fras – mae marchnad barod i'r ŵyn yng ngwledydd Môr y Canoldir. Gellir coginio'r cig yn araf, araf neu'n gyflym, gyflym ac mae'n gweddu'n arbennig ar gyfer ein patrwm byw ni heddiw, boed fel saig gwaelod y ffwrn neu'n rhost ar farbeciw.

Magu defaid oherwydd eu gwlân a wnaed yn wreiddiol, gyda llawer o'r preiddiau cynnar yng ngofal myneich yr abatai canoloesol. Hwy a sefydlodd y diwydiant nyddu a gwehyddu yng Nghymru ac am ganrifoedd roedd brethyn yn un o'n prif allforion. Cig defaid neu fyllt – cig yr ŵyn oedd wedi treulio o leiaf un gaeaf ar y mynydd – oedd yn cael ei fwyta'n wreiddiol ac erbyn heddiw mae mwy o alw amdano oherwydd ei flas arbennig.

Tyfodd y diadelloedd gyda galw am fwy o gig rhesymol ei bris i ardaloedd diwydiannol de Cymru a Lloegr. Am gyfnod ar ddechrau'r bedwaredd ganrif ar bymtheg, caewyd llawer o'r ffriddoedd uchaf gan y stadau mawrion gan godi waliau cerrig uchel ar yr hen diroedd comin. Sefydlwyd ffermydd defaid gyda'r bugeiliaid yn treulio'r hafau yn cerdded ffiniau cynefinoedd y defaid ar y mynydd-dir agored. Mae tiroedd y mynyddoedd uchaf yn parhau heb eu ffensio, ond mae cynefin arbennig wedi'i drosglwyddo o fewn y gwahanol ddiadelloedd o genhedlaeth i genhedlaeth.

Fel gyda chig eidion, rhoddir mwy o bwyslais ar fedru olrhain tarddiad cig oen bellach. Bydd y cigyddion gorau yn enwi'r brid a'r rhanbarth ar eu labeli, ac yn aml iawn enwir yr union fferm ble magwyd yr anifail hefyd. Dyma oes y cynnyrch lleol ac mae bri mawr ar fathau arbennig o gig oen, megis y cig oen organig o'r mynydd neu gig oen y morfa hallt a elwir yn 'oen glaswraeth' sydd ar gael fel arfer o fis Ebrill tan fis Hydref, yn dibynnu ar y tywydd.

Lamb

Welsh Lamb today, under the colours of the national flag, is available at the best butchers' counters across Europe. The lamb's ideal size – without being too heavy or rich – makes it attractive to markets in Mediterranean countries. The meat can be cooked very slowly or very fast and it is particularly suited to our lifestyle today, be it as a 'bottom of the oven' dish or a roast on a barbeque.

At first, sheep were bred for their wool, and many of the first flocks were cared for by the monks of the medieval abbeys. They established the spinning and weaving industry in Wales and for centuries woollen cloth was our main export. Mutton – from lambs that had spent at least one winter on the mountains – was the meat originally eaten and it is becoming more popular today because of its special flavour.

The flocks grew as the demand for reasonably-priced meat grew in the industrial valleys of south Wales and England. For a period at the start of the nineteenth century many large estates closed the upper 'ffridd' – the area of grass, heath or scrub between the upland and lowland habitats – and some built high stone walls to enclose what was previously common land. Sheep farms were established and shepherds walked the boundaries of the flock's habitat on the open mountain during the summer. The highest mountains are still un-fenced and the particular habitat of individual flocks has been inherited from generation to generation.

As with beef, more emphasis is now put on being able to trace the origin of the lamb. The best butchers will be able to name the breed and region on their labels and often the individual farm where the animal was reared is named. This is the age of local produce and animals reared in different ways, such as organic lamb or salt marsh lamb – normally available from April until October, depending on the weather – are very popular.

Cawl Cynhaeaf (T)

900 g/2 bwys o gig gwddf Oen Cymru
225 g/hanner pwys o bys
225 g/hanner pwys o ffa
1 flodfresychen fach
1 foronen ganolig
1 winwnsyn (nionyn) canolig
1 erfinen (meipen)ganolig
2-3 deilen letys
5 sbrigyn o bersli
1.75 litr/3 pheint o ddŵr
halen a phupur

Torrwch y cig gwyn oddi ar y cig oen cyn ei roi, gyda'r dŵr, mewn sosban fawr a dod â'r cyfan i'r berw. Yna, codwch y saim yn ofalus oddi ar yr wyneb nes bod y gwlych yn weddol glir. Tynnwch y pys a'r ffa o'r codennau a phlicio a thorri'r foronen, y winwnsyn a'r erfinen. Ychwanegwch y llysiau at y cig yn y sosban gydag ychydig o halen a phupur a'u mudferwi'n araf am 2½ i 3 awr. Golchwch y flodfresychen a'r dail letys a'u rhoi mewn dŵr oer am hanner awr. Torrwch y flodfresychen yn ddarnau a thorri'r dail letys yn fân. Ychwanegwch at y stiw rhyw 30 munud cyn ei weini. Addurnwch â'r persli a'i fwyta'n boeth.

Harvest Broth (T)

900 g/2 lb neck of Welsh Lamb
225 g/half lb peas
225 g/half lb broad beans
1 small cauliflower
1 medium sized carrot
1 medium sized onion
1 medium sized turnip
2-3 lettuce leaves
5 parsley stalks
1.75 litres/3 pints water
salt and pepper

Trim off as much fat as possible from the meat. Put the meat, with the water, in a large saucepan and bring to the boil. Skim carefully until the liquid is clear and as free from fat as possible. Shell the peas and beans, and peel and dice the carrot, onion and turnip. Add the vegetables to the meat and season with salt and pepper. Simmer gently for 2½ to 3 hours. Wash the cauliflower and lettuce and stand in cold water for half an hour. Break the cauliflower into florets and finely chop the lettuce. Add to the broth half an hour before serving. Serve hot, decorated with parsley.

Cig oen Cymreig
Premium Welsh Lamb

CIG OEN GYDA CHRWST PUPUR

coes cig oen heb asgwrn
3 llond llwy fwrdd o rawn pupur cymysg newydd
    eu malu
llond llwy fwrdd o rosmari ffres wedi'i falu'n fân
dyrnaid o fintys ffres wedi'i falu'n fân
5 ewin garlleg wedi'u malu'n fân
3 llond llwy fwrdd o finegr mafon
2 lond llwy fwrdd o saws soy
150 ml/chwarter peint o win coch
2 lond llwy fwrdd o fwstard Ffrengig

Cymysgwch lond 1 llwy fwrdd o'r pupur du mâl
gyda'r rhosmari, y mintys, y garlleg, y finegr, y
saws soy a'r gwin coch mewn dysgl fas.
Trochwch y cig oen yn y ddysgl a'i adael i
fwydo am o leiaf 8 awr neu dros nos yn yr
oergell, gan ei droi bob yn awr ac yn y man.

Ar ôl tynnu'r cig o'r ddysgl a chyn ei goginio,
clymwch ef gyda darn o linyn os oes angen.
Yna, taenwch y mwstard dros y cig a gwasgu
gweddill y pupur du mâl i'r mwstard. Rhowch y
cig mewn tun rhostio gan arllwys y marinad
sy'n weddill o'i amgylch. Coginwch yn y ffwrn
(nwy 4/350°F/180°C) am tua 1½ i 2 awr.
Wrth iddo goginio, codwch lwyeidiau o'r
marinad dros y cig yn achlysurol. Ar ôl tynnu'r
cig o'r ffwrn, arhoswch am 15 munud cyn
mynd ati i'w dorri. Arllwyswch y grefi sydd ar ôl
yn y tun rhostio dros y cig wrth ei weini.

LAMB IN PEPPER CRUST

boned leg of lamb
3 tablespoons mixed peppercorns, freshly milled
1 tablespoon fresh rosemary, finely chopped
sprig of fresh mint, finely chopped
5 garlic cloves, finely chopped
2 tablespoons raspberry vinegar
2 tablespoons soy sauce
150 ml/quarter pint red wine
2 tablespoons French mustard

Mix 1 tablespoon freshly milled black pepper
with the rosemary, mint, garlic, vinegar, soy
sauce and red wine in a shallow dish. Marinade
the lamb for at least 8 hours, or overnight in a
refrigerator, turning it occasionally.

After removing the meat from the dish and
before roasting, tie with a piece of string if
necessary. Then, spread the mustard all over
the meat and press the remaining ground
pepper firmly into it. Place on a roasting tin,
pouring the marinade left over in the dish into
the tin. Roast in the oven (gas mark
4/350°F/180°C) for about 1½ to 2 hours.
Spoon the marinade over the meat during
cooking. After removing the meat from the
oven, let it rest for 15 minutes before carving.
Pour the gravy from the roasting tin over the
meat when serving.

BREST O GIG OEN CYMRU WEDI'I STWFFIO

Brest o Gig Oen Cymru, heb asgwrn

Stwffin:

50 g/2 owns o friwsion bara
pinsied o deim
25 g/owns o gnau Ffrengig wedi'u malu'n fân
1 winwnsyn (nionyn) wedi'i bilio a'i dorri'n fân
110 g/4 owns o fricyll sych wedi'u mwydo mewn
    dŵr oer a'u torri'n fân
wy wedi'i guro
50 g/2 owns o resins
croen hanner oren wedi'i gratio'n fân

Cymysgwch y briwsion bara, y teim a'r cnau mewn dysgl. Coginiwch y winwnsyn yn yr olew nes ei fod yn feddal a'i ychwanegu at y briwsion bara gyda'r resins, y croen oren, y bricyll, halen a phupur a'r wy wedi'i guro. Taenwch y stwffin ar y frest, ei rholio a'i rhwymo â llinyn. Rhostiwch yn y ffwrn (nwy 5/375°F/180°C) am 1 i 1½ awr. Bwytewch gyda reis a llysiau.

Cig oen gyda saws rhyfon cochion
Welsh Lamb fillets with a red currant sauce

STUFFED BREAST OF WELSH LAMB

1 boneless breast of Welsh Lamb

Stuffing:

50 g/2 oz breadcrumbs
pinch of thyme
25 g/1 oz walnuts, finely chopped
1 onion, finely chopped
110 g/4 oz dried apricots, soaked in cold water
    and finely chopped
1 egg
50 g/2 oz raisins
finely grated zest of half an orange

Mix the breadcrumbs, thyme and nuts in a bowl. Cook the onion in the oil until soft and add to the breadcrumbs along with the raisins, orange zest, apricots, salt, pepper and beaten egg. Spread the stuffing over the meat, roll and tie with a piece of string. Roast in the oven (gas mark 5/375°F/180°C) for 1 to 1½ hours. Serve with rice and vegetables.

PASTAI CIG OEN (T)

Crwst:

110 g/4 owns o fargarîn
3 llond llwy fwrdd o ddŵr
225 g/8 owns o flawd plaen
hanner llond llwy de o halen

Llenwad:

450 g/pwys o Gig Oen Cymru wedi'i dorri'n
    ddarnau a'i drochi mewn blawd
2 winwnsyn (nionyn) wedi'u pilio a'u sleisio
225 g/8 owns o foron wedi'u pilio a'u sleisio
150 ml/chwarter peint o win coch
150 ml/chwarter peint o stoc
2 lond llwy fwrdd o fintys ffres
melynwy i sgleinio'r crwst

Rhowch y cig, y winwns a'r moron mewn dysgl gaserol. Ychwanegwch y stoc, y gwin a'r mintys a'u rhoi yn y ffwrn am tua 2 awr nes bod y cig yn frau. Arllwyswch y gwlych a rhoi'r cig a'r llysiau mewn dysgl bastai 1 litr/1¾ peint.

Paratowch y crwst drwy guro'r margarîn gyda 2 lond llwy fwrdd o'r blawd a'r dŵr mewn powlen. Ychwanegwch weddill y blawd a'u cymysgu nes eu bod yn does llyfn. Rholiwch y toes a'i daenu dros y cig a'r llysiau yn y ddysgl bastai. Rhowch sglein o felynwy dros y toes cyn coginio'r bastai yn y ffwrn (nwy 6/400°F/200°C) am hanner awr.

LAMB PIE (T)

Pastry:

110 g/4 oz margarine
3 tablespoons water
225 g/8 oz plain flour
half teaspoon salt

Filling:

450 g/1 lb Welsh Lamb, cut and coated in flour
2 onions, peeled and sliced
225 g/8 oz carrots, peeled and sliced
150 ml/quarter pint red wine
150 ml/quarter pint stock
2 tablespoons fresh mint
1 egg yolk to glaze

Put the meat, onions and carrots in a casserole dish. Add the stock, wine and mint and cook in the oven for approximately 2 hours until the meat is tender. Drain off the liquid, then spoon the meat and vegetables into a 1 litre/1¾ pints pie dish.

Prepare the pastry by beating the margarine with 2 tablespoonfuls of the flour and the water in a bowl. Add the rest of the flour and mix until it forms a soft dough. Roll the dough and spread over the meat and vegetables in the pie dish. Glaze with the egg yolk and cook the pie in the oven (gas mark 6/400°F/200°C) for half an hour.

CIG OEN SBEIBLYS WEDI'I FARINEIDDIO

1 coes cig oen gyda'r asgwrn wedi'i dynnu allan
   (gofynnwch i'ch cigydd i wneud hyn)
4 clof o arlleg
2 llwy de o Halen Môn sbeislyd – wedi'i falu
2 llwy de o rhosmari ffres – wedi'i dorri'n fân
croen a sudd un lemwn
100 ml olew olewydd
Pupur du

I wneud y saws coch, poethwch y ffwrn
(nwy 4/350°F/180°C) cyn gosod y tomatos ar
dun. Mewn powlen cymysgwch y garlleg, halen,
rhosmari, croen a sudd y lemwn, olew olweydd
a'r pupur du gyda'i gilydd. Rhowch y cig oen
mewn dysgl fawr, slaesiwch y rhannau trwchus
fel bod y cig yn coginio'n gyfartal. Rhwbiwch y
gymysgedd i fewn i'r cig gan wneud yn siŵr ei
fod wedi cyrraedd pob twll a chornel. Rhowch
glawr ar ei ben a'i adael yn yr oergell hyd at 48
awr.

Twymwch y ffwrn i 200°C/ffan 180°C/nwy
rhif 6. Tynnwch y clawr a rhostiwch yn y ffwrn
am 40 munud os hoffwch y cig yn binc yn y
canol, neu 15-20 munud yn hirach os yw'n well
gennych gig wedi'i goginio drwyddo. Gadwech
y cig i orffwys am 10 munud cyn ei dorri.

Mae'r rysáit yma yn berffaith i'w goginio ar y
barbeciw.

Oen glasdraeth; oen mynydd
Saltmarsh Welsh lamb; mountain lamb

MARINATED SPICED WELSH LAMB

1 boneless leg of Welsh lamb, butterflied – ask
   your butcher to do this
4 cloves of garlic, crushed
2 teaspoon of spiced Halen Môn – ground
2 tablespoons fresh rosemary – finely chopped
zest and juice of 1 lemon
100 ml olive oil
Black pepper

In a bowl mix together the garlic, salt,
rosemary, zest and juice of a lemon, olive oil
and the black pepper. Place the lamb in a large
dish and make a few slashes into the thicker
parts of the meat so that it cooks more evenly.
Rub the marinade into the lamb – making sure
to get the marinade into every nook and
cranny. Cover and leave to marinade in the
fridge for up to 48 hours.

Heat the oven to
200°C/fan 180°C/gas mark 6.
Remove the cover and roast the meat for 40
minutes if you want it pink in the centre, or
15-20 minutes longer if you prefer it more well
done. Leave to rest for 10 minutes before
carving.

This recipe if ideal for cooking on the
barbeque.

BYRGERS CIG OEN CYMRU A CHAWS CAERFFILI

Digon i 4

450 g/pwys o friwgig Cig Oen Cymru
½ llond llwy fwrdd o bast cyri
1 leim neu lemwn (y sudd a'r croen)
2 lond llwy fwrdd o fintys ffres wedi'i falu'n fân
110 g/4 owns o Gaws Caerffili wedi'i falu
halen a phupur

Cymysgwch yr holl gynhwysion mewn dysgl. Rhannwch y cymysgedd yn 4-6 pêl a'u ffurfio'n fyrgyrs. Coginiwch ar farbeciw neu radell dwym am 8-12 munud neu nes y byddant wedi coginio'n iawn, gan eu troi o leiaf unwaith. Bwytewch gyda bara crystiog a salad.

WELSH LAMB AND CAERPHILLY CHEESE BURGERS

Serves 4

450 g/1 lb minced Welsh Lamb
½ tablespoon curry paste
1 lime or lemon (juice and zest)
2 tablespoons fresh mint, finely chopped
110 g/4 oz Caerphilly cheese, roughly cut
salt and pepper

Mix all the ingredients in a bowl. Divide into 4-6 balls and form into burgers. Cook on a barbecue or hot griddle for 8-12 minutes until crisp and well cooked, turning at least once during cooking. Eat with crusty bread and salad.

GOLWYTHION OEN A PHYS   (T)

Digon i 4-5

6-8 golwyth o Gig Oen Cymru
llond llwy fwrdd o flawd corn
700 g/pwys a hanner o bys ffres neu wedi'u rhewi
llond llwy de o siwgwr
570 ml/peint o ddŵr

Rhowch y golwythion mewn dysgl gaserol ac arllwys y dŵr drostynt. Ychwanegwch halen a phupur, rhoi caead ar y ddysgl a choginio'r cig mewn ffwrn weddol boeth (nwy 4/350°F/180°F) am awr a hanner. Ychwanegwch y pys a choginio'r cyfan am hanner awr arall. Tynnwch y golwythion o'r ddysgl, arllwys y stoc i sosban a chodi'r saim oddi ar yr wyneb. Ychwanegwch y siwgwr at y stoc a'i dewhau â'r blawd corn. Aildwymwch y saws a'i fudferwi am 2-3 munud. Arllwyswch y saws dros y pys a'i weini gyda'r golwythion cig oen.

LAMB CHOPS WITH PEAS   (T)

Serves 4-5

6-8 Welsh Lamb chops
1 tablespoon cornflour
700 g/1½ lb green peas, fresh or frozen
1 teaspoon sugar
570 ml/1 pint water

Place the chops in a casserole dish and pour over the water. Season with salt and pepper, cover and cook in a moderate oven (gas mark 4/350°F/180°C) for 1½ hours. Add the shelled or frozen peas and cook for a further half hour. Remove the chops, drain off the stock into a saucepan and skim off any excess fat from the surface. Add the sugar to the stock and thicken with the cornflour. Reheat the sauce and simmer for 2-3 minutes. Pour the sauce over the peas and serve with the lamb chops.

Cig Mochyn

Pork and Bacon

Cig Mochyn

'… a mochyn yn y cwt' meddai'r hen gân werin. Waeth pa mor fach oedd y bwthyn neu'r tyddyn yn yr hen amser, roedd y twlc neu'r cwt mochyn yn rhan annatod o'r tai allan.

Prynu 'mochyn grôt' (pedair hen geiniog), ei besgi dros yr haf ar groen tatws, gwastraff y gegin a mes y coedwigoedd ac yna'i werthu yn yr hydref, oedd yn talu'r rhent mewn sawl tyddyn. Arferiad arall oedd ei gigydda yng nghanol miri mawr y diwrnod lladd mochyn ac mae gwichian diddiwedd yr anifail yn parhau'n rhan o'm hatgofion o'm gwyliau ar y fferm yn Llangeler. Ni fyddem yn cael mynd allan o'r tŷ pan fyddai'r mochyn yn cael ei ladd a chofiaf eistedd ar y sgiw yn y gegin fach gyda'm bysedd yn fy nghlustiau i geisio tawelu'r sŵn byddarol! Byddai Dafydd Jones, Parcswadog yn mynd o fferm i fferm i ladd moch ac yn dychwelyd ar ôl rhai dyddiau wedi i'r mochyn fod yn hongian yn y sgubor yn barod i'w dorri cyn ei symud i'r tŷ. Wedyn byddai prysurdeb mawr wrth halltu'r rhan fwyaf ohono cyn ei hongian ar fachau penodol ar drawstiau'r gegin i'w ddefnyddio dros y gaeaf. Byddai fy hen fodryb Mag yn gwneud pwdinau gwaed, ffagots a brôn o rannau o berfedd y moch gan fod ei thad yn gigydd a hithau wedi meistroli'r grefft ar ei ôl. Defnyddid coluddion yr anifail i wneud selsig a rhoddid ei bledren i'r plant i'w chwythu a'i chicio fel pêl-droed! Yn ôl yr hen ddywediad, gellid defnyddio pob rhan o'r mochyn heblaw am ei wich. 'Ffest y cibydd' oedd un o hoff brydau bwyd y cartref amser swper. Rhoddid darn o gig moch ar waelod crochan haearn, yna haenen o datws newydd ar ei ben, ychydig o ddŵr a'i goginio nes bod y tatws wedi digoni, y dŵr wedi sychu a'r cig yn dechrau ffrio.

Tarddodd y bridiau moch amaethyddol o'r hen faeddod gwyllt oedd yng nghoedwigoedd Cymru ers talwm. Yn ôl chwedlau cynnar y Mabinogi, anrhegion o'r is-fyd Celtaidd oedd y moch cynharaf ac yn Nyfed (sir Benfro bellach) y'u gwelwyd gyntaf. Mae'n ddifyr cofio mai o sir Benfro y daw'r hen gân werin honno am 'gladdu'r mochyn du' hefyd.

Enwyd llawer o afonydd Cymru ar ôl teulu'r mochyn – Hwch, Twrch, Aman, Banw, Machno a Soch. Mae'r afonydd yn tyrchu drwy'r tir, fel baedd yn chwilio am fes, gwreiddiau a madarch. Mae'r mochyn hefyd wrth ei fodd yn rholio mewn mwd a llaid – nid am ei fod yn greadur brwnt ond gan fod gwisg o fwd yn ei gadw'n oer yn ogystal â'i ddiogelu rhag gwres yr haul.

Daeth bri ar fagu moch 'yn rhydd' eto, yn organig ac mewn caeau agored. Does dim cymhariaeth rhwng blas y rhain â'r cynnyrch a gaiff eu ffermio mewn ffatrïoedd dan do sinc. Ledled Cymru mae nifer o gwmnïau bychain yn cynnig cig a chynnyrch porc blasus, ac mae'r amrywiaeth o selsig diddorol sydd ar gael bellach yn tynnu dŵr o'r dannedd.

Pork and Bacon

'... and a pig in the sty' according to the old Welsh folk song. Regardless of the size of a cottage or small holding in days gone by, the pigsty was an essential part of the outbuildings.

Buying a 'groat pig' (four old pennies), fattening it over the summer on potato peelings, kitchen waste and acorns and selling it in the autumn, paid the rent on many a homestead. Another tradition was to butcher it on slaughter day and the never ending squealing of the pig is still a vivid memory of holidays on the farm in Llangeler. We weren't allowed out of the house when the pig was being slaughtered and I remember sitting on the settle in the kitchen with my fingers in my ears trying to mute the deafening noise. Dafydd Jones of Parcsgwadog would travel from farm to farm to slaughter. After the pig had been hung in the barn for a few days he would return to butcher it ready to be brought into the house. Most of it would be salted and hung from the beams in the kitchen to be used over the winter months. My great Auntie Mag, a butcher's daughter, would make black puddings, faggots and brawn from parts of the pig's entrails. The animal's colon was used to make sausages and the bladder was given to the children to be inflated and used as a football! According to the old saying, every part of the pig can be used, apart from its squeal. 'Ffest y cibydd' was one of the favourite meals at supper time. A piece of bacon was placed at the bottom of a cauldron and a layer of new potatoes on top, a little water was added and then it was placed on the heat until the potatoes were cooked, the water evaporated and the meat frying.

The agricultural pig breeds of today originate from the old wild boar found in Welsh woodlands. According to the legends of the Mabinogi the first pigs were gifts from the Celtic underworld and they were first seen in Dyfed (now Pembrokeshire). It's interesting to note that the old folk song about 'the burial of the black pig' also comes from Pembrokeshire.

Many Welsh rivers are named after the pig family – Hwch, Twrch, Aman, Banw, Machno a Soch. Rivers burrow or cut through the land, like a pig searching for acorns, roots and mushrooms. The pig also enjoys rolling in mud – not because it's a dirty animal but because a layer of mud keeps it cool and protects it from the sun's rays.

Rearing 'free-range' pigs has become popular again, organically and in open fields. You cannot compare the flavour of these animals with the factory-farmed pig. Throughout Wales there are many local businesses offering tasty meat and pork produce, and the variety of interesting sausages available these days is enough to make the mouth water.

Tatw Pôb (T)

cig mochyn wedi'i halltu
tatws wedi'u pilio a'u sleisio
winwns wedi'u pilio a'u sleisio

Rhowch sgleisenni go dew o gig mochyn ar waelod sosban haearn. Gorchuddiwch y cig â thatws a rhoi winwns dros y tatws. Rhowch ragor o datws a winwns a digon o ddŵr i orchuddio'r haen gyntaf o winwns. Gosodwch ragor o gig mochyn ar yr wyneb a'i ferwi'n araf nes bod y dŵr i gyd wedi diflannu.

Ffagots (T)

afu/iau mochyn
hanner torth o fara sych wedi'i malu'n
    friwsion mân
450-900 g/pwys neu ddau o winwns wedi'u pilio
    a'u torri'n fân iawn
halen a phupur
ychydig o saets
ffedog mochyn

Malwch yr afu'n fân, fân â chyllell fawr ar fwrdd pren. (Mae malwr cig yn dueddol o roi blas annymunol iddo.) Rhowch yr afu gyda'r winwns mewn padell bridd. Ychwanegwch y briwsion bara, y saets, yr halen a phupur a chymysgu'r cyfan yn drwyadl â llwy bren. Lledwch y ffedog ar fwrdd pren a'i thorri'n ddarnau 10-15 cm/4-6 modfedd sgwâr, yn ôl y dewis. (Ambell waith bydd yn rhaid rhoi'r ffedog mewn dŵr claear i'w hystwytho a'i hymestyn cyn ei thorri.) Ffurfiwch y ffagots yn beli drwy lapio darn o'r ffedog o amgylch tua llond llwy fwrdd o'r cymysgedd, eu rhoi ochr yn ochr mewn tun cig a'u rhostio mewn ffwrn weddol boeth. Bwytewch y ffagots yn gynnes gyda thatws, pys a grefi.

Ffagots Cymreig
Welsh faggots

Oven-baked Potatoes and Bacon (T)

thick salt-cured bacon rashers
potatoes, peeled and sliced
onions, peeled and sliced

Layer the bacon rashers on the bottom of a heavy iron saucepan. Cover with half of the potatoes, and then half the onions. Repeat with the remaining potatoes and onions and then pour enough water to cover the first layer of onions. Arrange more bacon rashers on top and boil gently until the water has been absorbed.

Faggots (T)

pig's liver
half a loaf of stale white breadcrumbs
450-900 g/1-2 lbs onions, peeled and finely
    chopped
salt and pepper
pinch of sage
pig's apron/caul

On a wooden chopping board, cut the liver very finely with a large knife. (Mincers tend to leave an unpleasant taste.) Place the liver and onions in an earthenware crock. Add the breadcrumbs, sage, salt and pepper and mix thoroughly with a wooden spoon. Spread the pig's apron (caul) out on a wooden board and cut into squares measuring approximately 10-15 cm/4-6 inches, or as you please. (It is sometimes necessary to soak the caul in lukewarm water to stretch and make it more flexible before cutting.) Shape the faggots by wrapping a tablespoonful of the mixture in each square, then arrange side-by-side on a roasting tin and roast in a fairly hot oven. Serve warm with potatoes, peas and gravy.

PELI PORC A CHORIANDER MEWN SAWS TOMATO

550 g/tua phwys o friwgig porc
llond llwy fwrdd o goriander ffres wedi'i falu
5 sibwnsyn wedi'u torri
2 ewin garlleg wedi'u malu
llond llwy de o saws soy
halen a phupur du

Saws tomato a llysiau:

1 winwnsyn (nionyn) wedi'i dorri
2 ewin garlleg wedi'u malu
llond llwy fwrdd o olew
1 tun 400 g tomatos mawr
pinsied o siwgwr
150 ml/chwarter peint o stoc llysiau
150 ml/chwarter peint o sudd moron
pupur coch heb hadau, wedi'i dorri
2 goesyn seleri wedi'u torri
llond llwy de o deim ffres wedi'i falu
deilen llawryf
halen a phupur

I wneud y saws, twymwch yr olew mewn sosban a choginiwch y winwnsyn, y garlleg, y seleri a'r pupur coch ar dân cymedrol am 5 munud. Ychwanegwch y siwgwr, y teim, y ddeilen llawryf, y tomatos a'r sudd moron, rhoi caead ar y sosban a choginio'r cyfan yn araf am 20 munud. Rhowch y cymysgedd mewn hylifwr neu brosesydd bwyd ac yna ychwanegu'r stoc llysiau i wneud saws llyfn. Blaswch â halen a phupur os oes angen.

Paratowch y peli porc drwy roi'r cig, y sibwns, y coriander, y garlleg, y saws soy a'r halen a phupur mewn dysgl a'u cymysgu'n dda. Ffurfiwch beli tua'r un maint â pheli golff a'u ffrio mewn padell gydag ychydig o olew nes y byddant wedi crimpio'n euraidd. Rhowch y peli a'r saws llysiau mewn sosban a'u coginio'n araf am tua 15 munud. Bwytewch gyda phasta ac ychydig o goriander ffres wedi'i ysgeintio arnynt.

Cigydd cig moch, Caerfyrddin
Pork and bacon butcher, Carmarthen

PORK AND CORIANDER BALLS IN TOMATO SAUCE

550 g/approx. 1 lb minced pork
1 tablespoon fresh coriander, chopped
5 spring onions, chopped
2 garlic cloves, chopped
1 tablespoon soy sauce
salt and black pepper

Tomato and vegetable sauce:

1 onion, chopped
2 garlic cloves, chopped
1 tablespoon oil
1 400 g tin of tomatoes
a pinch of sugar
150 ml/quarter pint vegetable stock
150 ml/quarter pint carrot juice
1 red pepper, seeded and chopped
2 sticks of celery, chopped
1 teaspoon fresh thyme, chopped
1 bay leaf
salt and pepper

Prepare the sauce. Heat the oil in a pan and cook the onion, garlic, celery and red pepper over a moderate heat for 5 minutes. Add the sugar, thyme, bay leaf, tomatoes and carrot juice, cover and cook over a low heat for 20 minutes. Put the mixture in a liquidiser or food processor with the vegetable stock and mix until smooth. Taste and season with salt and pepper.

Make the pork balls by mixing together the meat, spring onions, coriander, garlic, soy sauce and salt and pepper in a bowl. Divide the mixture into balls (golf ball sized) and fry in oil until crispy brown. Put in a saucepan with the vegetable sauce and cook over a low heat for about 15 minutes. Eat with pasta, garnished with fresh coriander.

FFILED O BORC A CHNAU CYLL GYDA SAWSIAU AFAL A MWSTARD

ffiled o borc 1 cilo/2 bwys 4 owns (canol lwyn)
150 g/5 owns o gnau cyll wedi'u malu
llond llwy de o rosmari ffres wedi'i falu'n fân
wy mawr wedi'i guro
llond llwy fwrdd gron o flawd plaen
25 g/owns o fenyn
llond llwy fwrdd o olew

Saws afal a rhosmari:
450 g/pwys o afalau coginio wedi'u pilio a'u
*   torri'n 8 darn*
25 g/owns o o fenyn
llond llwy de gron o rosmari ffres wedi'i falu
sudd hanner lemwn

Saws mwstard a mêl:
250 ml/ 8 owns hylifol o crème fraîche
sialotsyn wedi'i bilio a'i dorri'n fân
2 lond llwy bwdin orlawn o fwstard grawn
cyflawn
2 lond llwy de o fêl clir
2 lond llwy de o saws soy

Mewn powlen fechan cymysgwch y rhosmari a'r wy a'u gadael am o leiaf 2 awr yn yr oergell. Torrwch y cig gwyn oddi ar y porc. Rhowch y blawd plaen wedi'i flasu â halen a phupur ar blât. Trochwch y ffiled yn y blawd ac yna yn yr wy a'r rhosmari, gan orchuddio'r cig i gyd yn iawn. Gwasgwch y ffiled yn y cnau cyll ac yna'i thorri'n ddarnau 3 cm. Toddwch y menyn mewn padell drom a ffrio pob ochr sydd heb gnau nes eu bod yn euraidd. Yna coginiwch y cig ar lai o dân am 8-10 munud arall.
I baratoi'r saws mwstard a mêl, toddwch ddarn o fenyn mewn sosban ac ychwanegu'r sialotsyn. Coginiwch yn araf am 10 munud cyn ychwanegu gweddill y cynhwysion. Gadewch i'r saws fudferwi am 3-4 munud.
I baratoi'r saws afal a rhosmari, toddwch y menyn, ychwanegwch yr afalau, y rhosmari a'r sudd lemwn a'u coginio nes bod yr afalau wedi dechrau meddalu ond yn dal i gadw'u siâp.
Rhowch 3 neu 4 darn o gig ar bob plât ac yna arllwyswch ychydig o'r ddau saws o'u hamgylch. Addurnwch â sbrigyn o rosmari.

Cig Porc Rhost
Welsh Roast Pork

PORK FILLET WITH HAZELNUTS AND APPLE AND MUSTARD SAUCES

1 kg/2 lb 4 oz pork fillet (tenderloin)
150 g/5 oz hazelnuts, chopped
1 teaspoon fresh rosemary, finely chopped
1 large egg, beaten
1 heaped tablespoon plain flour
25 g/1 oz butter
1 tablespoon oil

Apple and rosemary sauce:
450 g/1 lb cooking apples, peeled and cut into 8
*   wedges*
25 g/1 oz butter
1 heaped teaspoon fresh rosemary, finely cut
juice of half a lemon

Mustard and honey sauce:
250 ml/ 8 fl oz crème fraîche
1 shallot, peeled and finely cut
2 heaped dessertspoon wholegrain mustard
2 teaspoons clear honey
2 teaspoons soy sauce

In a small bowl, mix the rosemary and egg and chill for at least 2 hours in the refrigerator. Trim the fat off the meat. Put the seasoned flour on a plate and dip the fillet of pork in the flour, then in the egg and rosemary, covering well. Press the fillet into the chopped hazelnuts then cut into 3 cm pieces. Melt the butter in a frying pan and fry the sides of the meat that are not covered in nuts until golden brown. Reduce the heat and cook the meat for a further 8-10 minutes.
Prepare the mustard and honey sauce. Melt some butter in a saucepan and add the shallot. Cook slowly for 10 minutes before adding the rest of the ingredients. Simmer for 3-4 minutes.
Then prepare the apple and rosemary sauce. Melt some butter, add the apples, rosemary and lemon juice and cook until the apples begin to soften but have still kept their shape.
Put 3 or 4 pieces of pork on each plate then pour both sauces around the meat. Garnish with a sprig of rosemary.

MYFFINS SELSIG A CHIG MOCH GYDA GREFI WINWNS COCH

Digon i 6

6 selsigen borc draddodiadol
3 tafell o gig moch wedi'i fygu a'i halltu'n sych wedi'u haneru ar eu hyd
2 winwnsyn (nionyn) coch wedi'u pilio a'u sleisio'n denau
llond llwy fwrdd o deim ffres wedi'i falu'n fân
110 g/4 owns o flawd plaen
2 wy mawr
75 ml/3 owns hylifol o laeth
75 ml/3 owns hylifol o ddŵr

Grefi winwns coch:
llond llwy fwrdd o flawd plaen
150 ml/5 owns hylifol o win coch
150 ml/5 owns hylifol o stoc
2 lond llwy fwrdd o finegr balsamig

Pocthwch y ffwrn (nwy 6/400°F/200°C). Lapiwch pob selsigen mewn hanner tafell o gig moch, eu gosod ar dun rhostio gyda'r winwns a'r teim a'u rhostio am 20 munud, gan eu troi bob yn awr ac yn y man. Hidlwch y blawd a'r halen i bowlen, gwnewch bant yn y canol ac yna ychwanegu'r wyau. Chwipiwch y cyfan yn dda gan ychwanegu'r llaeth a'r dwr yn raddol i wneud cytew llyfn. Rhowch hanner y winwns wedi'u coginio yn y cytew ac ychwanegwch bupur du.

Irwch dun myffins 6 twll mawr neu dun rhostio (25.5 x 20 cm/10 x 8 modfedd) a rhoi selsigen ym mhob twll. Arllwyswch y cytew dros y selsig a'u pobi am hanner awr nes bod y cytew yn euraidd ac wedi codi'n dda. Yn y cyfamser, ychwanegwch y blawd at weddill y winwns mewn sosban ar wres cymedrol. Ychwanegwch y stoc, y gwin coch, y finegr balsamig a halen a phupur. Dewch â'r saws i'r berw ac yna'i arllwys dros y myffins selsig wrth eu gweini.

Oinc Oink
Bridwyr Moch Cymreig yn Llithfaen
Welsh Pig breeders, Llithfaen

SAUSAGE AND BACON MUFFINS WITH RED ONION GRAVY

Serves 6

6 traditional pork sausage
3 rashers of smoked dry cured bacon cut in half lengthways
2 red onions, peeled and finely sliced
1 tablespoon fresh thyme, finely chopped
110 g/4 oz plain flour
2 large eggs
75 ml/3 fl oz milk
75 ml/3 fl oz water

Red onion gravy:
1 tablespoon plain flour
150 ml/5 fl oz red wine
150 ml/5 fl oz stock
2 tablespoons balsamic vinegar

Pre-heat the oven (gas mark 6/400°F/200°C). Wrap each sausage with half a rasher of bacon and place on a baking tray along with the onions and thyme. Bake for 20 minutes, turning occasionally. Sieve the flour and salt into a bowl, make a well in the flour and add the eggs. Whisk well, gradually adding the milk and water to make a smooth batter. Add half the cooked onions to the batter and season with black pepper.

Grease a large 6 hole muffin tin or a roasting tin (25.5 x 20 cm/10 x 8 inches) and place a sausage in each hole. Pour the batter over the sausages and bake for 30 minutes until the batter is golden and well risen. Meanwhile add the flour to the rest of the onions in a pan and cook over a moderate heat. Add the stock, red wine and balsamic vinegar and season well. Bring to the boil and serve with the cooked sausage muffins.

PWDIN GWAED (T)

gwaed mochyn ar ddiwrnod ei ladd
570 ml/peint o ddŵr
ychydig o halen
winwns wedi'u pilio a'u torri
perlysiau cymysg i roi blas
ychydig o flawd ceirch
perfedd mân y mochyn
ychydig o'r braster oddi ar berfedd mân y mochyn

Arllwyswch y gwaed i ddysgl fawr pan fo'n dal yn gynnes a'i droi'n aml nes ei fod wedi oeri. (Rhaid ei droi neu bydd yn mynd yn lympiau.) Ychwanegwch y dŵr ac ychydig o halen a gadael y gwaed dros nos.

Golchwch y perfedd yn drwyadl (y tu mewn a'r tu allan) a'i roi'n wlych mewn dŵr a halen dros nos. Gorchuddiwch y winwns a'r darnau o fraster â blawd ceirch, eu blasu â'r perlysiau a'u rhoi yn y gwaed oer. Rhowch y cymysgedd hwn yn y perfedd mân a chlymu'r ddeupen â llinyn, gan adael rhywfaint o le i'r pwdin chwyddo tra mae'n berwi. Rhowch y pwdin i ferwi mewn sosban fawr am ryw hanner awr ac yna ei hongian i sychu mewn lle cyfleus. Ffriwch dafell neu ddwy o'r pwdin gyda chig moch yn ôl yr angen.

Bulkeley Square, Llangefni.

BLACK PUDDING (T)

freshly killed pig's blood
570 ml/1 pint water
a little salt
onions, peeled and finely chopped
mixed herbs to taste
a little oatmeal
the pig's small intestine
a little fat off the pig's small intestine

Pour the pig's blood into a large bowl when it is still warm and stir frequently until cooled. (The blood must be stirred or it will coagulate.) Add the water and salt and leave the blood overnight.

Wash the small intestines thoroughly (inside and out) and soak overnight in salted water. Cover the onions and the pieces of fat with oatmeal, season with mixed herbs and add to the cold pig's blood. Spoon this mixture into the intestine before tying both ends with a piece of string, allowing some space for the pudding to swell whilst it is boiled. Boil in a large saucepan for approximately 30 minutes then hang the pudding in a convenient place to dry it out. Fry a few slices with bacon as needed.

CIG MOCH A BRESYCH (T)

darn (neu goesgyn) o gig mochyn hallt
bresychen
tatws
llaeth
menyn
persli
blawd

Rhowch y cig yn wlych mewn dŵr oer dros nos i dynnu peth o'r halen ohono. Y diwrnod canlynol tynnwch y cig o'r dŵr hallt, ei roi mewn sosban haearn gyda digon o ddŵr glân am ei ben a'i ferwi nes bydd wedi coginio. Tynnwch y cig o'r sosban a'i roi o'r neilltu i oeri. Cadwch y dŵr a berwi'r fresychen yn y dŵr hwnnw. Rhowch y tatws i ferwi mewn sosban arall, ac wrth eu gloywi cadwch y dŵr ar gyfer y saws persli.

Saws persli:
Rhowch ychydig o laeth yn nŵr y tatws ar ôl eu gloywi, rhoi talp o fenyn ynddo ac ychydig o bersli wedi'i falu'n fân i roi blas. Ychwanegwch flawd wedi'i gymysgu ag ychydig o ddŵr oer i dewhau'r saws a'i ferwi am rai munudau. Arllwyswch y saws dros y tatws a'r fresychen ac ar sleisen neu ddwy o'r cig oer.

PORK AND CABBAGE (T)

a piece (or leg) of salt-cured pork
1 cabbage
potatoes
milk
butter
parsley
flour

Soak the meat overnight to remove some of the saltiness. The following day, remove the meat from the water, put in a heavy iron saucepan with enough clean water to cover and boil until cooked. Remove the meat – reserving the water – and leave to cool. Boil the cabbage in the reserved water. Boil the potatoes in another saucepan and when cooked, drain and reserve the water for the parsley sauce.

Parsley sauce:

After draining the potatoes, pour a little milk into the water, add a knob of butter and a little finely chopped parsley to taste. Add some flour mixed with cold water to thicken the sauce and boil for a few minutes. Pour the sauce over the potatoes, cabbage and a few slices of the cold meat.

Da Pluog

Poultry

Da Pluog

Nid oedd gardd heb gwt ieir yng Nghymru ers talwm. Bu cadw da pluog yn bwysig o safbwynt clirio tir, bwyd a ffynhonnell incwm yn y dyddiau tlotaf ac erbyn heddiw, mae wyau pen domen a chig 'gwyn' yr adar yn eithriadol o boblogaidd fel bwyd iach a maethlon.

Cyrhaeddodd yr iâr a'r ceiliog dof Cymru gyda'r Rhufeiniaid a buont yn rhan o'n hiaith a'n harferion fyth ers hynny. Cysylltir llawer o arferion gwerin gyda chasglu wyau adeg y Pasg; roedd 'ffowlyn' neu gyw at y Sul yn blatiad traddodiadol. Cofiaf redeg drwy'r clôs ar ôl sawl iâr gyda Mam-gu ac wedyn ei gwylio yn cael ei lladd wrth dorri'i gwddf â bwyell ar flocyn o bren yn tŷ glo, cyn ei hongian ar fachyn a syllu ar y gwaed yn diferu o'i chorff. Wedyn eistedd ar stôl daircoes yn plufio cystal a gallwn wrth ddilyn arweiniad Blodwen y forwyn! Yng Nghymru, wrth gwrs, yr ŵydd yw'r aderyn a gysylltir â gwledd diwrnod Nadolig a dyna fyddai'n 'Nhad yn ei fwyta. Er mae gen i gof o blufio twrcïod am oriau mewn stafell fach uwchben y storws yn rhyfeddu at sgiliau crefftus y gwragedd oedd yn cael ei cyflogi i helpu cyn y Nadolig. Pob Nadolig byddai Dat-cu yn cadw'r ddau dwrci gorau i'w rhoi fel anrheg i berchennog y tir a'r llall i Doctor Davies. Roedd hi'n arferiad ym mhob tref farchnad i gynnal dwy ffair dda pluog cyn y Nadolig yn yr hen ddyddiau – ffair ddofednod byw rhyw dair wythnos cyn yr ŵyl ac yna 'ffair felys' yn ystod yr wythnos cyn y Nadolig pan fyddai'r gwyddau, yr hwyaid a'r cywion wedi'u lladd a'u pluo ac yn eithaf parod am y popty.

Wedi goddef cig cywion y cytiau torfol a wyau batri am flynyddoedd, mae mwy a mwy o alw eto am fagu'r adar yn rhydd a chasglu wyau pen domen. Mae'r arian ychwanegol sy'n cael ei ofyn am gynnyrch naturiol ac organig yn cael ei gyfiawnhau yn yr ansawdd a'r blas.

Poultry

In the past there wasn't a garden in Wales without its hen house. Rearing poultry was important in terms of clearing land, providing food and a source of income during times of poverty. Today free range eggs and the 'white' meat of the birds are extremely popular as healthy and nutritious.

The tame hen and cockerel were introduced to Wales by the Romans and they have since become part and parcel of our language and traditions. Many folk traditions are associated with collecting eggs at Easter; a roast 'chicken' was a traditional Sunday dish. I remember running around the farmyard after a hen with Mam-gu. I then watched her kill the bird by cutting its throat with an axe on a wooden block in the coal house. She would then leave it hanging and I watched the blood dripping from it. I sat on a three-legged stool to pluck the bird's feathers as best I could, taking instruction from Blodwen the maid! Goose is the bird associated with the Christmas feast in Wales and this is what Father ate. I can recall plucking turkeys for hours in a small room above the store, looking in amazement at the skill of the womenfolk who were employed to help before Christmas. Every year Tat-cu would keep the two best turkeys, one as a gift for the landlord and the other for Doctor Davies.

In the past it was customary in every market town to hold two poultry fairs before Christmas – a live poultry fair about three weeks before Christmas and then a 'sweet fair' about a week before the festival when the geese, ducks and chickens had been killed and were more or less ready for the oven.

Having tolerated meat from intensely farmed hens and battery eggs for many years, there is more and more demand once again for rearing free range birds and collecting free range eggs. The quality and flavour of this organic, natural produce justifies the few extra pennies one has to pay.

FFOWLYN CYMREIG (T)

cyw iâr (un neu ddau)
    nid oes rhaid defnyddio adar ifanc ar gyfer
    y pryd hwn
225 g/hanner pwys o gig mochyn
225 g/hanner pwys o foron
25 g/owns o fenyn
25 g/owns o flawd
1 fresychen fach
2 genhinen fawr
dyrnaid o berlysiau cymysg
halen a phupur
275 ml/hanner peint o stoc
braster, dripin neu fenyn

Clymwch y cyw fel petaech am ei ferwi.
Torrwch y cig mochyn, y cennin a'r moron yn
ddarnau, eu rhoi mewn dysgl gaserol gyda'r
menyn a'u ffrio am rai munudau. Ychwanegwch
y blawd nes bod y cyfan wedi tewhau a
brownio. Rhowch y cyw yn y saws. Golchwch a
thorrwch y fresychen a'i rhoi yn y ddysgl gyda'r
cyw, gyda dyrnaid o berlysiau a halen a phupur
i roi blas. Ychwanegwch y stoc, darnau o
ddripin neu fenyn, rhoi caead ar y cyfan a'i
fudferwi am 2-3 awr. I weini, codwch y bresych
ar blât gweddol fawr a gosod y cyw arno.
Addurnwch gyda'r darnau moron ac arllwys y
gwlych dros y bresych.

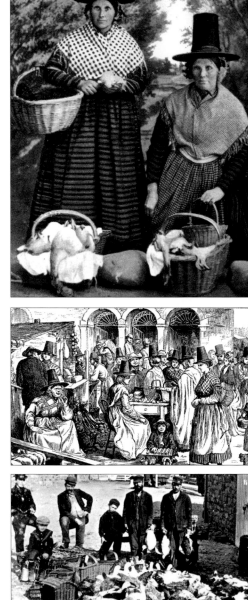

WELSH CHICKEN (T)

chicken (one or two)
    young birds need not be used for this dish
225 g/half lb bacon
225 g/half lb carrots
25 g/1 oz butter
25 g/1 oz flour
1 small cabbage
2 large leeks
bunch of mixed herbs
salt and pepper
275 ml/half pint stock
fat, dripping or butter

Truss the chicken as for boiling. Cut the bacon,
leeks, and carrots into cubes, put them into a
casserole dish with the butter and fry for a few
minutes. Stir in the flour until it thickens and
browns. Place the chicken in the thickened
sauce. Wash and cut up the cabbage and put it
into the casserole dish with the chicken. Add a
bunch of herbs and salt and pepper to taste.
Add the stock, some small lumps of dripping or
butter, cover and simmer for 2-3 hours. When
serving, make a bed of the cooked cabbage on a
dish and place the bird on it. Garnish with the
carrots and pour the liquor over the cabbage.

CYW IAR GYDA PHESTO A CORIANDER

25 g/owns o goriander ffres
10 g/hanner owns o bersli ffres
croen a sudd 1 oren
25 g/owns o gnau pistasio
25 g/owns o gaws Cheddar aeddfed neu gaws
    caled cryf
2 ewin garlleg
4 llond llwy fwrdd o olew olewydd
4 brest cyw iâr mawr heb groen
4 sleisen o ham Caerfyrddin neu bresaola
6 llond llwy fwrdd o stoc cyw iâr

Rhowch y perlysiau ffres, y croen oren, y cnau,
y caws a'r garlleg mewn prosesydd bwyd a
chymysgu'r cyfan gyda'r olew olewydd i wneud
pesto llyfn. (Ychwanegwch ychydig o sudd
oren os bydd angen teneuo ychydig arno.)

Sychwch y cyw iâr gyda phapur cegin. Gan
ddefnyddio cyllell finiog, sleisiwch pob brest ar
ei hyd fel bod gennych 'boced'. Rhowch hanner
y pesto perlysiau yn y pocedi. Lapiwch y cyw
iâr yn yr ham neu'r bresaola a rhoi pric coctel
i'w ddal. Twymwch yr olew mewn padell fawr
ar dân gweddol dwym a ffrio'r brestiau cyw iâr
am 20 munud gan eu troi bob 5 munud nes y
byddant wedi crimpio'n ysgafn a'r ham wedi'i
grasu. Tynnwch o'r badell a'u cadw'n gynnes
tra byddwch yn paratoi'r saws.

Ychwanegwch weddill y pesto i'r sosban gyda'r
sudd oren a'r stoc a'i dwymo'n araf. Arllwyswch
ychydig o'r saws dros y cyw iâr a thynnu'r
priciau coctel o'r cig cyn ei weini.

Cyw iâr rhost; gŵydd wedi'i rhostio
Roast chicken; roast goose

CHICKEN WITH CORIANDER PESTO

25 g/1 oz fresh coriander
10 g/half oz fresh parsley
juice and zest of 1 orange
25 g/1 oz pistatchio nuts
25 g/1 oz mature Cheddar cheese (or other
    mature hard cheese)
2 garlic cloves
4 tablespoons olive oil
4 large chicken breasts, skin removed
4 slices Carmarthen ham or bresaola
6 tablespoons chicken stock

Put the fresh herbs, orange zest, nuts, cheese
and garlic in a food processor and mix well with
the olive oil to a smooth consistency. (Add a
little orange juice if the pesto is too thick.)

Dry the chicken with kitchen paper. Using a
sharp knife, slice the chicken breasts
lengthways to form 'pockets' in the meat. Fill
with half the pesto. Wrap the chicken breasts
with the ham or bresaola and secure with a
cocktail stick. Heat the oil in a frying pan over a
high heat and fry the chicken breasts for 20
minutes, turning every 5 minutes, until the ham
is crisp and the chicken is golden brown.
Remove from the pan and keep warm while
you prepare the sauce.

Add the remainder of the pesto to the pan
along with the stock and heat gently. Pour a
little of the sauce over the chicken and remove
the cocktail sticks before serving.

CAWL CYW IÂR A CHENNIN (T)

1 cyw iâr bychan
2 giwb o stoc cyw iâr
2.25 litr/4 peint o ddŵr
6 cenhinen wedi'u golchi a'u sleisio'n ddarnau
*   hanner modfedd/1½ cm*
halen a phupur

Golchwch a chwarterwch y cyw. Toddwch y
ciwbiau stoc yn y dŵr mewn sosban fawr a
rhoi'r darnau cyw ynddo. Ychwanegwch y
cennin, halen a phupur a mudferwi'r cyfan am
3 awr nes bod y cig yn frau. Gadewch iddo oeri
ychydig ac yna codwch y saim oddi ar yr
wyneb. Aildwymwch am hanner awr. I weini'r
pryd, tynnwch y cig cyw oddi ar yr asgwrn a'i
osod ar waelod dysglau cawl cynnes.
Arllwyswch y cawl poeth dros y cyw.

Hwyaden rost gydag orenau;
Twrci Nadolig
Roast duck with oranges;
Festive roast turkey

CHICKEN AND LEEK SOUP (T)

1 small chicken
2 chicken stock cubes
2.25 litres/4 pints water
6 leeks, washed and sliced into 1½ cm/half inch
*   pieces*
salt and pepper

Clean and joint the chicken. In a large
saucepan, dissolve the stock cubes in the water
and add the chicken pieces. Add the leeks,
season to taste and simmer for 3 hours until the
meat is tender. Leave to cool a little before
skimming the fat off the surface. Re-heat for a
further 30 minutes. To serve, remove the meat
from the bones and place on the bottom of the
warmed soup bowls. Pour the hot soup over
the chicken.

GŴYDD ROST GYDA STWFFIN SAETS A WINWNS

1 ŵydd
50 g/2 owns o fraster neu lard
halen a phupur

Stwffin:
110 g/4 owns o winwns
50 g/2 owns o friwsion bara
25 g/owns o fargarîn
llond llwy de o saets
wy
halen a phupur

Paratowch y stwffin drwy bilio a thorri'r winwns a'u berwi mewn dŵr a halen nes eu bod yn feddal. Arllwyswch y dŵr ac yna'u cymysgu â gweddill y cynhwysion.

Golchwch yr ŵydd yn lân a'i sychu gyda chlwtyn neu bapur cegin cyn ei stwffio a chau'r croen â gweill neu sgiwers. Gosodwch hi gyda'r braster ar dun rhostio mawr heb gaead. Coginiwch am chwarter awr i bob pwys/hanner cilo a chwarter awr yn ychwaneg. Dechreuwch ei choginio mewn ffwrn boeth (nwy 8/450°F/230°C) am dri chwarter awr cyn gostwng y gwres (nwy 4/350°F/180°C) a'i choginio am dri chwarter awr arall. Awr a chwarter ar ôl rhoi'r ŵydd yn y ffwrn, hanner awr cyn ei thynnu ohoni, pigwch dyllau mân yng nghnawd yr aderyn er mwyn i'r saim lifo ohono ac er mwyn i'r croen grimpio'n well. Arllwyswch y saim sy'n weddill. Bwytewch gyda saws oren, pys a thatws potsh (stwnsh) neu datws wedi'u berwi.

Cig gŵydd
Goose

ROAST GOOOSE WITH SAGE AND ONION STUFFING

1 goose
50 g/2 oz dripping or lard
salt and pepper

Stuffing:
110 g/4 oz onions
50 g/2 oz breadcrumbs
25 g/1 oz margarine
1 teaspoon sage
1 egg
salt and pepper

Prepare the stuffing by peeling and cutting the onions and boil until tender in salted water. Drain and combine with the other ingredients.

Clean the goose thoroughly and dry with a clean cloth or kitchen paper before stuffing it and tying the skin with skewers. Put the goose and the fat in a large tin but do not cover. Allow 15 minutes per half kg/1 lb and 15 minutes over. Begin in a hot oven (gas mark 8/450°F/230°C) and after 45 minutes lower the temperature (gas mark 4/350°F/180°C) then cook for a further 45 minutes. 1½ hours after putting the bird in the oven, and 30 minutes before serving, prick the bird all over to release the fat. This makes the bird crisper. Pour away the excess fat. Serve with orange sauce, peas and boiled or creamed potatoes.

Cig Hela

Game

Cig Hela

Game

Yng Nghastell Henllys, sir Benfro, ar safle Melin Llynnon, Môn ac yn Amgueddfa Werin Cymru yn Sain Ffagan, gwelir pentrefi Celtaidd wedi'u hail-greu – cytiau crynion o glai a brwyn gydag aelwyd i'r tân yn y canol. Roedd yr hen Gymry wedi hen droi llaw at ffermio anifeiliaid dof a thyfu cnydau erbyn yr Oes Haearn ond roedd hela yn y gwaed o hyd. Gan mai cymdeithas filwrol, i raddau helaeth, oedd cymdeithas y Celtiaid, byddai carfanau o ddynion arfog yn marchogaeth ar hyd y wlad ac roedd hela am eu tamaid yn rhan o'u gwrhydri.

Pan gollodd y tywysogion Cymreig eu hawdurdod, daeth holl goedwigoedd Cymru yn eiddo i frenin Lloegr ac ef, yn ôl y gyfraith, oedd perchennog pob carw yn y wlad. Bu heidiau o filwyr gwrthryfelgar Cymreig yn byw yn wyllt yn y coedwigoedd a rhan o'u gwrthsafiad yn erbyn y drefn oedd hela ceirw a'u rhostio!

Mewn oes ddiweddarach, cododd perchenogion y stadau mawrion waliau uchel o amgylch eu tiroedd a meithrin adar gêm. Roedd herio'r drefn honno yn her na fedrai sawl gwerinwr tlawd ymatal â hi ac mae cefn gwlad Cymru yn frith o straeon potsio a straeon am ymrysonfeydd digon gwaedlyd weithiau rhwng ciperiaid y ffesantod a'r cwningod a'r saethwyr a'r maglwyr brodorol. Alltudiwyd mwy nag un potsiar i Awstralia am fentro 'dwyn' oddi ar diroedd lord y plas.

Er mwyn ennill arian poced ychwanegol byddai 'Nhad yn mynd allan fin nos i osod trapiau, gan ddychwelyd cyn mynd i'r ysgol y bore wedyn i gytri sawl cwningen a ddaliwyd. Gallai ennill rhyw hanner coron wrth eu gwerthu i'r cigydd lleol.

Heddiw mae baeddod gwyllt a cheirw yn cael eu magu ar gyfer y gegin, yn ogystal â chreaduriaid mwy egsotig megis y byffalo-dŵr a'r estrys. Diflannodd y gamp o saethu grugieir o rostiroedd Awst erbyn hyn ond mae saethu ffesantod mewn bri o hyd.

Ystyrid mai amheuthun y tai bonedd oedd cig hela ar un adeg. Erbyn heddiw mae'r cynnyrch ar gael mewn siopau o safon a marchnadoedd ffermydd. Mae'r tymor yn ymestyn o ddiwedd yr haf hyd at ddiwedd mis Ionawr ac o'i gael wedi'i hongian am y cyfnod priodol, mae'r cig yn frau, yn dyner ac yn hynod flasus.

At Henllys Castle, Pembrokeshire, Melin Llynnon, Anglesey and at the Museum of Welsh Life in Sain Ffagan, Celtic villages have been reconstructed – round houses of clay and reeds with a central hearth. The Welsh had long turned to rearing tamed animals and growing crops by the Iron Age but hunting was still in the blood. Since Celtic society was, to a large extent, a military society, factions of armed men would ride the country, and hunting for their food was part and parcel of the chivalry.

When the Welsh princes lost their authority, all of Wales' woodlands became the property of the English King and he, according to the law, owned all the deer in the land. Troops of rebel soldiers camped out wild in the woodlands and part of their stance against the regime was to hunt and roast deer!

Later, the owners of large estates built high stone walls around their property and reared game birds. Defying this regime was a challenge that many poor folk could not resist and the Welsh countryside has a wealth of poaching tales and stories of the quarrels, sometimes quite bloody, between the game-keepers and the native shooters and snarers. More than one poacher was exiled to Australia for daring to 'steal' from the lands of the local gentry.

To make some extra pocket money my father and I would go out in the early evening to set traps, returning before school the next day to see how many rabbits we had caught. He could make about half a crown by selling them to the local butcher.

Today wild boar and deer are reared for the kitchen, in addition to more exotic creatures such as the water buffalo and ostrich. Shooting grouse on the August heaths is a feat long gone but shooting pheasants is still reputable activity.

At one time game was regarded as a delicacy to be enjoyed by the gentry. Today the produce is available in shops of distinction and farmers markets. The season has been extended from the end of summer to the end of January and, if eaten after being hung for the appropriate length of time, the meat is tender and extremely flavoursome.

CAWL COCH YSGYFARNOG (T)

Rysáit o Geredigion

ysgyfarnog
moron
tatws
cennin
persli
ychydig o halen
llond llwy fwrdd o flawd ceirch
6.75 litr/galwyn a hanner o ddŵr oer

Blingwch, glanhewch a thorrwch goesau'r ysgyfarnog, a thorri'r corff yn ddau ddarn cyn rhoi'r darnau i fwydo mewn dŵr a halen dros nos. Rhowch yr ysgyfarnog a'r moron (wedi'u torri'n fân) mewn sosban fawr, arllwys y dŵr oer drostynt a'u codi i'r berw. Ychwanegwch yr halen, y persli a'r cennin. Cymysgwch y blawd ceirch ag ychydig o ddŵr oer a'i arllwys i'r cawl gan ferwi'r cyfan nes bod y cig yn dod oddi ar yr asgwrn. Tynnwch y cig o'r cawl ac yna rhoi'r tatws i ferwi ynddo am tua ugain munud. Bwytewch y cawl, y tatws a'r cig gyda'i gilydd.

Petris rhost
Roast partridge

RED HARE SOUP (T)

Ceredigion recipe

1 hare
carrots
potatoes
leeks
parsley
a little salt
1 tablespoon oatmeal
7.2 litres/1½ gallons cold water

Skin, clean and joint the hare before cutting in half. Place in salted water overnight. Put the hare and the carrots (finely chopped) in a large saucepan, pour over the cold water and bring to the boil. Add a little salt, parsley and leeks. Mix the oatmeal with a little cold water, pour into the soup and boil until the meat comes off the bone. Remove the meat from the soup, add the potatoes and boil for a further 20 minutes. Serve the soup and potatoes with the meat.

MEDALAU O GIG CARW GYDA PHRŴNS A PHORT

Digon i 4

*stecen 700 g/pwys a hanner o glun carw Cymreig
wedi'i thorri'n 12 'medal'*

Marinad:
*4 llond llwy fwrdd o olew olewydd
stribedi o groen oren
llond llwy fwrdd o ddail teim ffres wedi'u golchi
pupur du newydd ei falu*

Saws:
*75 g/3 owns o brŵns sych parod i'w bwyta
150 ml/chwarter peint o bort neu wirod Black
    Mountain
2 lond llwy de o jeli cyrens cochion Cymreig
sudd 1 oren ffres
halen a phupur du newydd eu malu*

Mwydwch y cig carw yn yr olew olewydd,
croen yr oren, y teim a'r pupur du dros nos.
Pan fyddwch yn barod i'w goginio, poethwch
badell ffrio drom. Rhowch y 'medalau' cig carw
a'r marinad ynddi a'u serio ar dân uchel. Yna
ffriwch yn ysgafn am 2-3 munud bob ochr.
Tynnwch y cig o'r badell a'i gadw'n gynnes.
(Dylech adael i'r cig carw orffwys am 10-15
munud ar ôl ei goginio).

Yn y cyfamser, gwnewch y saws. Rhowch y
port, y prŵns, y sudd oren a'r jeli cyrens
cochion yn y badell, codwch y gwres a
mudferwi'r cyfan nes bydd y saws wedi lleihau
i'w hanner.

Beddgelert
*Lleoliad y chwedl am yr helgi ffyddlon, Gelert
Location of the legendary faithful stag-hound, Gelert*

MEDALIONS OF VENISON WITH PRUNES AND PORT

Serves 4

*700 g/1½ lb Welsh venison haunch steak
    cut into 12 medallions*

Marinade:
*4 tablespoons olive oil
strips of orange rind
1 tablespoon fresh thyme leaves, washed
freshly milled black pepper*

Sauce:
*75 g/3 oz ready to eat dried prunes
150 ml/quarter pint port or Black Mountain
    liqueur
2 teaspoons Welsh redcurrant jelly
freshly squeezed juice of 1 orange
freshly milled salt and black pepper*

Marinade the venison in the olive oil, orange
rind, thyme and black pepper overnight. When
ready to cook, heat a heavy-based frying pan.
Add the venison medallions with the marinade
and sear over a high heat, continuing to sauté
for 2-3 minutes on each side. (The venison
should be allowed to rest for 10 to 15 minutes
following cooking).

Meanwhile, to make the sauce add the port,
prunes, orange juice and redcurrant jelly to the
frying pan, increase the heat and reduce the
sauce by half.

Yr Ardd Lysiau

The Vegetable Garden

Yr Ardd Lysiau

Nid oes dim sy'n well gen i na mynd i'r marchnadoedd dan do enwog mewn mannau megis Abertawe, Caerfyrddin a Wrecsam i chwilio am lysiau lleol, tymhorol gan gynhyrchwyr o'r ardal. Gorau oll os bydd y pridd a'r gwlith arnyn nhw o hyd! Erbyn hyn mae rhwydwaith eang o farchnadoedd ffermydd yn cynnig yr un ddarpariaeth, hyd yn oed yn ein priffddinas.

Ar un adeg, ystyrid mai rhyw atodiad bach digon di-sylw wrth ochr y brif saig oedd llysiau – ond mae'r amser hwnnw ar ben ers tro byd. Fel yn Iwerddon, buom ninnau'n genedl y tatws ac mae sawl ffordd draddodiadol o weini'r llysiau defnyddiol hynny. Cofiaf wylio Tad-cu yn bwyta pryd o datws potsh (stwnsh) a llaeth enwyn heb gig yn agos i'w blât! Ai dyna'r pryd llysieuol cyntaf?

Byddai rhan o dir y fferm yn cael ei neilltuo ar gyfer tyfu llysiau megis tatws, moron, rwdins, panas, bresych a chennin a gâi eu codi a'u bwyta o fewn oriau. Chewch chi ddim byd mwy maethlon na ffres na hynny. Byddai hanner tymor yr hydref yn cael yr enw 'Wythnos Datws' pan fyddai'r tatws i gyd yn cael eu codi a'u storio ar gyfer y gaeaf.

Nid oes dim mwy Cymreig na'r genhinen wrth gwrs, ac yn ogystal â bod yn eicon amlwg mewn hen frwydrau ac mewn gemau rhyngwladol heddiw, mae'n llysicuyn sy'n bywiogi cawl, potes, stiw a chaserol yn ogystal. Ond tyfir llysiau ychydig yn fwy egsotig megis madarch shiitake – ledled Cymru erbyn hyn a gellir eu prynu'n ffres neu wedi eu sychu.

Mae'r tai bwyta gorau yn meithrin cysylltiadau agos â thyfwyr llysiau lleol. Mae llawer o'r rheiny bellach yn cynnig gwasanaeth 'bocs yr wythnos' gan werthu'r cynnyrch ar eu gorau yn ôl y tymor. Gyda'r cyhoedd yn dod yn fwyfwy ymwybodol o wallgofrwydd cludo letys a phys mewn awyren ar draws y byd, mae mwy a mwy yn ailddechrau palu'r ardd a thyfu amrywiaeth eang o lysiau iach heb 'olion traed carbon' yn agos atynt.

Wrth nôl eich neges wythnosol, cerddwch heibio i'r llysiau yn eu pacedi plastig a seloffen sydd wedi colli cymaint o faeth a blas, ac anelwch am y stondinau sy'n dod â'r llysiau drwy'r giât ac yn syth i'ch plât. Onid yw'n llawer callach a naturiol i'n bywydau droi gyda'r tymhorau unwaith eto, ac i'n plant yn enwedig gael mwynhau'r profiad o fwyta mwy o lysiau iach a blasus?

The Vegetable Garden

There's nothing I enjoy more than a visit to the large indoor markets in places such as Swansea, Carmarthen and Wrexham to look for locally grown, seasonal vegetables, the produce of local growers. It's even better if the morning dew is still on them! Today, a large network of farmers markets offers the same provision, even in our capital city.

At one time, vegetables were regarded as an unremarkable addition, to merely accompany the primary savoury dish – but this is no longer true. As in Ireland, we were a nation of potato lovers and there are several traditional ways of serving this useful vegetable. I remember watching my grandfather eating a meal of mashed potatoes and buttermilk without any meat near his plate! Was this the first vegetarian meal?

Part of the farm's land was reserved for growing vegetables such as potatoes, carrots, swedes, parsnips, cabbages and leeks – lifted out of the ground and eaten within a few hours. You won't get anything tastier and fresher. Autumn half term would be named 'Potato Week' when all the potatoes would be lifted and put into storage over the winter months.

There is nothing more Welsh than the leek. Not only is it a visual symbol that was worn by soldiers in battle and a national emblem in today's international matches, it is also a vegetable that can enliven soup, broth, stew and casserole. Nowadays more exotic vegetables are grown in Wales, such as shiitake mushrooms that can be bought fresh or dried.

Our best restaurants nurture a good relationship with local vegetable producers. Many of the producers now also offer a 'weekly box' service, and sell their produce at its seasonal best. With the public becoming increasingly aware of the lunacy of transporting lettuces and peas by aeroplane around the world, more and more are once again digging their gardens, growing a wide variety of healthy vegetables without a trace of 'carbon footprint'.

When doing your weekly shop, walk past the vegetables in their plastic containers and cellophane wrap that have lost so much of their nutrition and flavour. Opt instead for the stalls that bring their produce straight through the gate and onto your plate. Isn't it wiser and more natural for our lives to revolve with the seasons once again, and for our children in particular to enjoy the experience of eating more healthy, tasty vegetables?

Tatws Pum Munud (T)

Rysáit o Fynytho, Llŷn

sgleisenni o gig moch
tatws
winwns
halen a phupur
ychydig o beilliad
dŵr

Ffriwch y cig moch mewn padell ffrio a'u codi ar blât. Torrwch y tatws a'r winwns ar draws a'u ffrio yn saim y cig moch. Ychwanegwch bupur a halen i roi blas a thaenu ychydig o beilliad drostynt. Arllwyswch ddŵr dros y tatws yn y badell cyn rhoi'r sgleisenni cig moch yn ôl ar eu pennau. Coginiwch yn araf nes bod y dŵr wedi sychu a'r tatws wedi cochi.

Tatws Popty (T)

darn o gig ffres (cig eidion fel rheol)
tatws
winwnsyn (nionyn) wedi'i dorri'n fân
dŵr

Rhostiwch y darn cig mewn tun mawr yn y ffwrn am ryw awr neu ragor. Rhowch y tatws o amgylch y cig gyda'r winwnsyn ac arllwys ychydig o ddŵr berwedig drostynt. Gosodwch gaead ar wyneb y tun a choginio'r cyfan nes bod y cig wedi'i rostio'n iawn a'r tatws wedi cochi.

Siop Fferm Llwynhelyg Farm Shop

Five Minute Potatoes (T)

A recipe from Mynytho, Llŷn

bacon slices
potatoes
onions
salt and pepper
wheat flour
water

Fry the bacon in a frying pan, then transfer onto a plate. Slice the potatoes and onions lengthways and fry in the bacon fat. Add salt and pepper to taste and sprinkle with a little wheat flour. Pour some water over the potatoes and onions in the frying pan before putting the sliced bacon back on top. Cook gently until all the water has been absorbed.

Oven Potatoes (T)

a piece of fresh meat (usually beef)
potatoes
1 onion, finely chopped
water

Oven roast the meat in a large roasting tin for approximately 1 hour or more. Arrange the potatoes and onion around the meat. Add some boiling water, cover and cook until the meat is well roasted and the potatoes cooked.

FFRITATA TATWS SIR BENFRO A BACWN BAEDD GWYLLT

Digon i 4-6

450 g/pwys o datws sir Benfro
    wedi'u coginio yn eu crwyn a'u torri'n
    sgleisenni trwchus
1 genhinen wedi'i golchi a'i sleisio'n denau
25 g/owns o fenyn
225 g/8 owns o facwn baedd gwyllt wedi'i dorri'n
    stribedi 2 cm
6 wy pen domen mawr
110 g/4 owns o gaws Cheddar aeddfed wedi'i
    gratio
Halen Môn a phupur du newydd ei falu

Torrwch yr wyau i bowlen fawr ac
ychwanegwch ychydig o halen môr a phupur
du newydd ei falu. Curwch yn ysgafn a'i roi o'r
neilltu.

Mewn padell nad yw'n glynu, ffriwch y cennin
nes y byddant yn feddal ac yn euraidd.
Tynnwch nhw o'r badell. Ailgynheswch y
badell a choginio'r bacwn nes bydd wedi
dechrau crimpio. Rhowch y cennin yn ôl yn y
badell ac ychwanegu'r tatws. Cynheswch yn
dda cyn arllwys yr wyau dros y cyfan a'u
coginio ar dân isel am ryw 10 munud. Taenwch
y caws dros y ffritata a'i rhoi o dan gril cynnes
nes y bydd yn euraidd a'r caws newydd
ddechrau ffrwtian. Bwytewch gyda salad dail
gwyrdd crensiog a thomatos ceirios melys.

PEMBROKESHIRE POTATOES AND WILD BOAR BACON FRITTATA

Serves 4-6

450 g/1 lb Pembrokeshire potatoes,
    cooked in their skins and thickly sliced
1 leek, washed and thinly sliced
25 g/1 oz butter
225 g/8 oz wild boar bacon, cut into 2 cm strips
6 large free range eggs
110g/4 oz Welsh mature Cheddar cheese, grated
Halen Môn sea salt and freshly ground black
    pepper

Break the eggs into a large bowl, season with a
little sea salt and freshly ground black pepper.
Beat lightly and put to one side.

In a non-stick frying pan, sauté the leeks until
soft and lightly golden and remove from the
pan. Reheat the pan and sauté the bacon until it
starts to crisp up, then return the leeks to the
pan and add the potatoes. Heat through gently
then pour over the egg mixture and cook over a
low heat for approximately 10 minutes.
Sprinkle the cheese over the top and place
under a hot grill until golden and bubbling.
Serve with a crispy green leaf salad and sweet
cherry tomatoes.

Tatws newydd/New potatoes

OMLED CIG MOCH A BARA LAWR

3 wy mawr
10 g/hanner owns o fenyn
darn o gig moch wedi'i dorri'n ddarnau bach
50 g/2 owns o fadarch ffres wedi'u sleisio
llond llwy fwrdd o fara lawr
25 g/owns o gaws caled (megis Hen Sir,
    Caws Eryri neu Llanboidy)
halen a phupur

Toddwch y menyn mewn padell, ychwanegu'r cig moch a'r madarch a'u ffrio ar dân gweddol am 5 munud. Torrwch yr wyau i bowlen a'u curo â dwy lond llwy fwrdd o ddŵr a halen a phupur. Ychwanegwch y bara lawr a chymysgu'r cyfan yn iawn. Arllwyswch y cymysgedd dros y madarch a'r cig moch a choginio'r omled ar wres cymhedrol, gan grafu'r ochrau i'r canol bob yn awr ac yn y man nes bydd yr wy bron â choginio i gyd. Yna rhowch yr omled dan y gril i orffen coginio. Gratiwch y caws a'i daenu ar ben yr omled cyn ei gweini'n syth.

TEISEN WINWNS (T)

tatws wedi'u pilio a'u sleisio
winwns wedi'u pilio a'u torri'n fân
menyn neu fargarîn
halen a phupur

Irwch dun teisen yn dda â digon o fenyn a gosod haenen o datws ar y gwaelod. Rhowch ychydig o'r winwns, halen a phupur i flasu a darnau bach o fenyn neu fargarîn ar y tatws, yna mwy o datws a winwns a menyn yn haenau nes bod y tun yn llawn. Gwnewch yn siŵr mai tatws fydd yn olaf ar wyneb y tun, a thaenwch ychydig o fenyn drostynt. Gosodwch gaead neu blât ar ben y tun a choginio'r deisen am awr mewn ffwrn weddol boeth (nwy 5/375°F/190°C). Gellir bwyta'r deisen gyda chig oer neu boeth.

Gerddi traddodiadol yn Amgueddfa Sain Ffagan
Traditional gardens at Museum of Welsh Life

BACON AND LAVER BREAD
OMLETTE

3 large eggs
10 g/half oz butter
a piece of bacon, chopped
50 g/2 oz fresh mushrooms, sliced
1 tablespoon laver bread
25 g/1 oz hard cheese (Old Shire, Snowdonia or
    Llanboidy)
salt and pepper

Melt the butter in a frying pan, add the bacon and mushrooms and cook over a moderate heat for 5 minutes. Break the eggs into a bowl and beat well with 2 tablespoons water, salt and pepper. Stir in the laver bread and mix well. Pour the mixture over the bacon and mushrooms and cook over a moderate heat, scraping the edges into the centre every now and then until the eggs are nearly cooked. Place under the grill to finish cooking. Sprinkle some grated cheese over the omelette before serving.

ONION CAKE (T)

potatoes, peeled and sliced
onions, peeled and finely chopped
butter or margarine
salt and pepper

Place a layer of potatoes on the bottom of a well-buttered cake tin. Sprinkle a layer of finely chopped onion on the potatoes and small lumps of butter or margarine, adding salt and pepper to taste. Repeat these two layers until the tin is full. The top layer must be of potatoes, on which some butter is spread. Cover with a lid or a plate and bake for 1 hour in a moderate oven (gas mark 5/375°F/190°C). This cake can be eaten with hot or cold meat.

Pasta Llysiau Rhost

Dyma bryd llysieuol iach y bydd pawb yn ei fwynhau fel prif gwrs i ginio neu i swper. Neu fe allwch ei weini gyda Chig Oen Cymru neu stecen o Gig Eidion Cymru. Mae'n addas ar gyfer bwffe hefyd.

2 gorbwmpen wedi'u torri'n stribedi tenau
1 pupur coch, heb yr hadau, wedi'i dorri'n stribedi
1 winwnsyn (nionyn) coch wedi'i bilio a'i dorri'n 8 darn
2 ewin garlleg wedi'u sleisio'n denau
3 llond llwy fwrdd o olew olewydd
275 g/10 owns o basta cregyn sych
110 g/4 owns o gaws gafr wedi'i dorri'n giwbiau
2 lond llwy de o fwstard grawn cyflawn
75 g/3 owns o gaws caled braster llawn wedi'i gratio
llond llwy de o oregano sych

Poethwch y ffwrn (nwy 7/425°F /220°C). Rhowch y corbwmpenni, y winwnsyn a'r pupur coch mewn tun rhostio ac ysgeintio'r garlleg, yr oregano a halen a phupur drostynt cyn eu cymysgu'n dda yn yr olew. Rhostiwch am 15-20 munud nes bod y llysiau'n feddal ac yn dechrau crimpio. Codwch sosban fawr o ddŵr â phinsied o halen ynddo i'r berw. Ychwanegwch y pasta a'i goginio am 10-12 munud nes bydd yn barod ond heb orgoginio. Tynnwch y pasta o'r dŵr a'i gymysgu â'r llysiau rhost, y caws gafr a'i caws caled a'r mwstard.

(Gellir addasu'r rysáit a defnyddio wylys, asbaragws (merllys), taten felys fawr neu bwmpen cneuen fenyn fechan yn lle unrhyw un o'r llysiau. Gellir defnyddio 200 ml/7 owns hylifol o crème fraîche yn lle'r caws gafr hefyd.)

Roasted Vegetables Pasta

A healthy vegetarian dish to be enjoyed by all the family at lunch or dinnertime. It can also be served with Welsh Lamb or Beef steaks. It is also suitable as part of a buffet.

2 courgettes, thinly sliced
1 red pepper, seeds removed, sliced
1 red onion, peeled and cut into 8 wedges
2 garlic cloves, thinly sliced
3 tablespoons olive oil
275 g/10 oz shell shaped pasta
110 g/4 oz goat's cheese, cubed
2 teaspoons wholegrain mustard
75 g/3 oz full fat hard cheese, grated
1 teaspoon dry oregano

Pre-heat the oven (gas mark 7/425°F /220°C). Put the courgettes, onion and red pepper in a roasting tin. Sprinkle over the garlic, oregano, salt and pepper and coat well with the oil. Roast for 15-20 minutes until soft and beginning to brown. Cook the pasta in salted boiling water for 10-12 minutes until firm and *al dente*. Mix with the roast vegetables, goat's cheese and hard cheese and mustard.

(Variations: replace one of the vegetables with an aubergine, asparagus, one sweet potato or a small butternut squash. Use 200 ml/7 fl oz crème fraîche instead of the goat's cheese.)

Cynnyrch y Llaethdy

From the Dairy

Cynnyrch y Llaethdy

From the Dairy

Oherwydd y tywydd a'r tirwedd, mae porfa Cymru yn un heb ei hail. Mae buchesi helaeth yn pori ar ein ffermydd godro erbyn hyn a'r cynnyrch o'r safon gorau un. Yn yr hen ddyddiau, roedd cadw ychydig o wartheg yn arferol ar bob fferm, gyda'r llaeth dros ben yn cael ei gadw mewn piser arbennig er mwyn corddi menyn ar gyfer y farchnad.

O blith cynnyrch y llaethdy, un o'r ffefrynnau yw 'pancws', 'crempog', neu 'ffroes'. Mae'r rhain yn amrywio o ran cynnwys, maint a thrwch, gan ddibynnu ar y ryseitiau rhanbarthol, ond mae'r cyfan yn eithriadol o flasus gyda menyn, lemwn, siwgwr, mêl neu jam. Mae'n draddodiad yn ein teulu ni i goginio pancws ar achlysur pen-blwydd a phawb yn edrych ymlaen i'w bwyta'n boeth oddi ar yr Aga. Pan fyddai Tad-cu wedi bwyta gormod (digwyddai hynny'n aml!) dim ond llond dysgl o fara a llaeth neu fara a the fyddai ei swper y noson honno.

Treuliais bymtheng mlynedd cyntaf fy mywyd yn byw yn Nhonypandy, Rhondda. Yno yng nghaffi Braccis wrth gornel y stryd fawr y blasais fy *cappucino* cyntaf ('coffi llaeth' oedd ei enw bryd hynny!). Roedd dylanwad yr Eidalwyr yn gryf yng nghymoedd y de gyda chaffis yn gwerthu hufen iâ yn gyffredin iawn. Mae eu dylanwad yn parhau hyd heddiw gyda nifer o gwmnïau mawr a bach yn dal i gynhyrchu hufen iâ o safon.

Pan gynhyrchid gormod o laeth, yr hen arfer oedd troi at gynhyrchu caws. Mae'r Cymry'n enwog am eu hoffter o gaws erioed. Pan heidiodd y Cymry i Lundain wedi buddugoliaeth Harri Tudur ym mrwydr Bosworth, doedd y Llundeinwyr erioed wedi gweld y fath alw am gaws pôb yn eu bywydau. 'Tocyn o fara a chaws' oedd yn y tun bwyd a gariai'r glowyr o dan ddaear a byddai cosyn o gaws cartref yn bwysig i'r morwyr ar yr hen longau hwyliau yn ogystal. Dyna swper arferol Tad-cu hefyd – darn o gaws coch gyda thocyn o fara cartref ffres. Pan oeddwn i yn Bordeaux rai blynyddoedd yn ôl – hen borthladd a arferai fasnachu llawer â phorthladdoedd Cymru – dotiais o weld llechi Cymreig ar y toeau a 'Welsh rarebit' ar fwydlen sawl tŷ bwyta!

Daeth bri ar gawsiau hufenfeydd Cymru pan sefydlwyd y rheiny, ond yn dilyn gwasgfa ar gynhyrchwyr llaeth yn y chwarter canrif diwethaf, trodd llawer yn ôl at gynhyrchu 'caws fferm' unwaith eto. Profwyd dim llai na chwyldro caws yng Nghymru ac mae'r cynnyrch yn cipio gwobrau rhyngwladol yn gyson.

Mewn marchnadoedd ffermydd, sioeau amaethyddol neu yn y siopau a'r tai bwyta sy'n hyrwyddo cynnyrch lleol, cewch ddewis eang o gawsiau safonol o laeth gafr a dafad. Mae'r amrywiaeth sydd ar gael yn anhygoel o safbwynt enwau, blas a gwead, gan gynnig cynnyrch cyffrous i'r gegin sy'n deillio'n uniongyrchol o gawodydd mwyn a chaeau glas y rhan yma o'r byd.

The green pastures of Wales surely takes some beating! Nowadays, large herds graze on our dairy farmlands and their produce is of the highest quality. In the olden days, every farm would have a few milking cows, with any leftover milk kept in a pitcher to be churned into butter for market day.

A firm favourite from the dairy is the pancake, with its variety of size, thickness and fillings – all depending on the regional recipes of course – and extremely tasty with butter, lemon, sugar, honey or jam. The pancake is a traditional birthday fare in our family, with everyone waiting in anticipation for the warm pancakes straight off the Aga. More often than not, Grandfather would eat more than his share of pancakes and therefore would only eat a bowlful of bread and milk or bread and tea for supper that night.

Until I was fifteen we lived in Tonypandy, Rhondda. There, in Braccis, on the corner of the high street, I tasted my very first *cappuccino* (or 'milky coffee' as it was called in those days!). Quite a few Italian families lived in the south Wales valleys and several of the cafés served as ice cream parlours. Their influence remain to this day and quite a few small businesses still produce ice cream of exceptional quality.

When there would be a surplus of milk, the custom was to turn to cheesemaking. The Welsh have always been known for their love of cheese. After Henry Tudor's victory in Bosworth, when so many Welshmen flocked to London, the Londoners had never seen such a call for toasted cheese. The coalminers would carry a slice of bread and cheese underground for lunch, and cheese was also important on the old sailing ships. It would also be Grandfather's supper – a chunk of red cheese with a slice of freshly baked bread. A few years ago when I was in Bordeaux – a sea port that traded a great deal with the Welsh – I was surprised to see Welsh slate on the rooftops and 'Welsh rarebit' on so many restaurant menus!

Factory-produced cheese became popular after the Welsh dairies were founded, but over the past twenty five years, with the price of milk getting lower and lower, many dairy farmers have returned to making farmyard cheese. We have seen no less than a revolution in cheesemaking over the past few years, with frequent international acclaim.

A vast choice of high quality sheep and goat's milk cheeses can be acquired from farmers markets and agricultural shows as well as shops and restaurants that promote local produce. The variation in names, tastes and textures is exceptional, offering an exciting product for the kitchen, straight from the light showers and green pastures of this corner of the world.

SGONS HUFEN (T)

225 g/hanner pwys o flawd
25g/owns o fenyn
llond llwy de o bowdwr codi
1 wy
275 ml/hanner peint o hufen sur
pinsied o halen

Rhowch y blawd, yr halen a'r powdwr codi
mewn dysgl. Rhwbiwch y menyn i mewn
iddynt â blaenau'r bysedd nes bod y cyfan fel
briwsion. Gwnewch bant yn y canol a thywallt
yr wy a'r hufen wedi'u curo â'i gilydd iddo.
Cymysgwch a thylino'n ysgafn. Rholiwch y toes
i drwch o tua 1 cm/hanner modfedd â'i dorri'n
gylchoedd bychain. Craswch ar radell neu
mewn ffwrn boeth am 15 munud.

CREAM SCONES (T)

225 g/half lb flour
25 g/1 oz butter
1 teaspoon baking powder
1 egg
275 ml/half pint sour cream
a pinch of salt

Put the flour, salt and baking powder in a bowl.
Rub in the butter until the mixture resembles
fine breadcrumbs. Make a well in the centre
and pour in the egg beaten with the cream. Mix
well and knead lightly. Roll out to a thickness
of about 1 cm/half inch and cut into small
rounds. Bake on a griddle or in a hot oven for
15 minutes.

CREMPOG HUFEN (T)

6 llond llwy fwrdd o flawd
3 llond llwy fwrdd o siwgwr
2-3 llond llwy fwrdd o hufen sur
pinsied o halen
hanner llond llwy de o giabi
hanner llond llwy de o bowdwr tartar
1 neu 2 wy
llaeth

Cymysgwch y cynhwysion sych. Ychwanegwch
yr hufen, yna'r wyau wedi eu curo'n dda.
Curwch y cwbl efo llwy bren. Craswch ar radell.
Taenwch fenyn arnynt a'u bwyta'n boeth.

CREAM PANCAKES (T)

6 tablespoons flour
3 tablespoons sugar
2-3 tablespoons sour cream
a pinch of salt
half teaspoon bicarbonate of soda
half teaspoon cream of tartar
1 or 2 eggs
milk

Mix the dry ingredients. Add the cream, then
the well beaten egg or eggs. Beat with a wooden
spoon. Bake on a griddle. Spread with butter
and eat warm.

Ddoe a heddiw yn Hufenfa De Arfon
South Caernarfonshire Creamery: old and new

WYLYS NANTYBWLA

2 wylys neu gorbwmpen fawr
100 ml/4 owns hylifol o olew olewydd
2 ewin garlleg wedi'u gwasgu
croen 1 lemwn wedi'i gratio'n fân
175 g/6 owns o gaws Nantybwla
10 o ddail brenhinllys mawr ffres
10 tomato heulsych

Torrwch ddeupen yr wylys a'u torri ar eu hyd yn sgleisenni tua 1½ cm/hanner modfedd o drwch. Rhowch y sgleisenni mewn hidlen gyda halen wedi'i ysgeintio ar bob darn a'u gadael am awr, yna golchwch yr halen oddi arnynt a'u sychu â phapur cegin. Cymysgwch yr olew olewydd, y garlleg a'r croen lemwn a'i daenu ar ddwy ochr pob sgleisen o wylys gydag ychydig o bupur du. Coginiwch y sgleisenni ar farbeciw poeth neu ar radell am 2-3 munud neu y byddant yn euraidd ac wedi meddalu ac yna'u tynnu oddi ar y tân. Yna rhowch un ddeilen brenhinllys, tafell o gaws ac un tomato heulsych ar ben tewaf pob sgleisen, eu plygu a rhoi sgiwer drwy'r cyfan i'w dal yn dynn. Brwsiwch ragor o'r olew lemwn drostynt a'u coginio unwaith eto ar y barbeciw am 4-5 munud bob ochr. Bwytewch y rhain fel dechreufwyd, neu brif gwrs i lysieuwyr, gyda salad.

SELSIG MORGANNWG (T)

1 wy
1 winwnsyn (nionyn) wedi'i dorri'n fân iawn
pinsied o berlysiau cymysg
pinsied o fwstard powdwr
halen a phupur
150 g/5 owns o friwsion bara
75 g/3 owns o gaws wedi'i ratio

Gwahanwch y gwynwy a'r melynwy. Cymysgwch y cynhwysion sych gyda'r melynwy, gwneud selsig bychain a'u rholio mewn blawd. Trochwch fesul un yn y gwynwy, eu rholio yn y briwsion bara a'u ffrio mewn saim mochyn. Bwytewch gyda thatws potsh (stwnsh) neu sglodion.

Caws Cenarth

NANTYBWLA AUBERGINES

2 aubergines or large courgettes
100 ml/4 fl oz olive oil
2 garlic cloves, crushed
grated zest of 1 lemon
175 g/6 oz Nantybwla cheese
10 large fresh basil leaves
10 sundried tomatoes

Top and tail the aubergines and slice lengthways into approximately 1½ cm/ half inch thick slices. Place in a colander and sprinkle each piece with salt and leave for about an hour. Then, wash and dry with kitchen paper. Mix the olive oil, garlic and lemon zest and spread over both sides of each slice of aubergine with some freshly milled black pepper. Cook on a hot barbecue or griddle for 2-3 minutes until golden and softened. Place one basil leaf, a slice of cheese and one sundried tomato onto the thickest part of each slice, fold and firmly hold in place with a skewer. Brush a little more lemon oil over each aubergine slice and cook once again on the barbecue or griddle for 4-5 minutes on each side. Serve as a starter, or as a main meal for vegetarians, with salad.

GLAMORGAN SAUSAGES (T)

1 egg
a little very finely chopped onion
a pinch of mixed herbs
a pinch of mustard powder
flour
salt and pepper
150 g/5 oz breadcrumbs
75 g/3 oz grated cheese

Divide egg yolk from white. Mix all the dry ingredients and bind with the egg yolk. Divide into small sausages and roll in flour. Dip each sausage into the egg white, then roll in the breadcrumbs and fry in pork fat. Serve with creamed potatoes or chips.

SALAD GELLYG A CHAWS GORAU GLAS

175 g/6 owns o ddail sbigoglys ifanc
50 g/2 owns o ferw dŵr
50 g/2 owns o fadarch wedi'u glanhau a'u torri
2 ellygen aeddfed, heb y croen a'r galon, wedi'u torri
llond llwy fwrdd o fintys wedi'u malu'n fân
110 g/4 owns o gaws Gorau Glas
½ llond llwy de o fwstard
llond llwy fwrdd o finegr seidr
4 llond llwy fwrdd o sudd afal organig Gellirhyd
3 llond llwy fwrdd o crème fraîche Rachel's
2 lond llwy fwrdd o olew olewydd
dail mintys i addurno

Paratowch yr enllyn drwy roi'r mwstard a'r finegr mewn powlen fach a'u chwipio'n dda. Ychwanegwch y sudd afal a'r crème fraîche. Malwch y caws, rhoi ei hanner yn yr enllyn a'i gymysgu'n dda. Ychwanegwch hanner y mintys, ei gymysgu eto a'i flasu gyda halen a phupur yn ôl yr angen.

Twymwch radell a choginiwch y gellyg yn gyflym bob ochr. Rhowch ychydig o sbigoglys a berw dŵr ar y platiau gweini ynghyd â'r madarch a'r gellyg a llwyaid o'r enllyn ar ben y salad. Ysgeintiwch weddill y mintys a'r caws ar ei ben a'i addurno â dail mintys cyfan. Gweinwch gyda bara gwenith cyflawn.

Iogwrt Rachel's; caws pôb
Rachel's Yoghurt; Welsh rarebit

CAWS PÔB (T)

110g/4 owns o gaws wedi'i ratio
3 llond llwy fwrdd o laeth
25g/1 owns o fenyn
halen a phupur
mwstard (yn ôl eich dewis)
tafell o fara wedi'i chrasu

Rhowch y caws a'r laeth mewn sosban a'u toddi'n araf. Ychwanegwch yr halen, y pupur a'r menyn a phan fydd yn boeth arllwyswch ar y bara. Gellir ychwanegu tipyn o gwrw i'r cymysgedd.

PEAR AND GORAU GLAS CHEESE SALAD

175 g/6 oz young spinach leaves
50 g/2 oz watercress
50 g/2 oz mushrooms, washed and sliced
2 ripe pears, peeled and cored
1 tablespoon mint, chopped
110 g/4 oz Gorau Glas cheese
½ teaspoon mustard
1 tablespoon cider vinegar
4 tablespoons organic Gellirhyd apple juice
3 tablespoons Rachel's crème fraîche
2 tablespoons olive oil
whole mint leaves to garnish

Prepare the dressing by thoroughly whisking the mustard and vinegar in a bowl. Add the apple juice and crème fraîche. Roughly cut the cheese, put half in the dressing and mix well. Add half the mint, mix once again and season to taste.

Pre-heat a griddle or frying pan and flash cook the pears for a few seconds. Arrange some watercress and spinach leaves on the serving plates along with the mushrooms and pears, with a spoonful of dressing on the salad leaves. Sprinkle the remaining mint and cheese on top and garnish with the whole mint leaves. Serve with wholemeal bread.

WELSH RAREBIT (T)

110 g/4 oz grated cheese
3 tablespoons milk
25 g/1 oz butter
salt and pepper
mustard (optional)
slice of toasted bread

Put the cheese and milk in a saucepan and melt gently. Add salt, pepper and butter and when warm pour over the bread. A little beer can be added to the mixture.

WYAU YNYS MÔN (T)

Digon i 4

6 cenhinen fechan wedi'u sleisio a'u coginio
450 g/pwys o datws potsh (stwnsh)
75 g/3 owns o fenyn
halen a phupur du
llond llwy fwrdd o flawd
275 ml/hanner peint o laeth poeth
75 g/3 owns o gaws Cheddar wedi'i ratio
8 wy wedi'u berwi a'u haneru
2 lond llwy fwrdd o friwsion bara ffres
nytmeg wedi'i gratio

Poethwch y ffwrn (nwy 4/350°F/180°C).
Mewn dysgl, cymysgwch y cennin, y tatws
potsh, hanner y menyn a halen a phupur i roi
blas a'u curo'n drylwyr. Rhowch y cyfan mewn
dysgl sy'n addas i'w rhoi yn y ffwrn wedi'i
hiro'n dda.

Gwnewch y saws caws drwy doddi 25 g/owns o
fenyn mewn sosban ac ychwanegu'r blawd a
choginio am 2 funud ar wres isel.
Ychwanegwch a chymysgwch y llaeth a'r caws
a'u mudferwi, gan ddal i droi, nes bydd y saws
wedi tewhau. (Cadwch 10 g/hanner owns o
fenyn ac ychydig o gaws i'w rhoi ar ben y cyfan
cyn eu pobi.)

Gosodwch yr wyau wedi'u berwi a'u haneru ar
ben y cymysgedd tatws a chennin. Arllwyswch
y saws caws arnynt. Cymysgwch y caws a
gadwyd o'r neilltu gyda'r briwsion bara a'u
hysgeintio dros y saws, ac yna'r menyn ac
ychydig o nytmeg. Pobwch am 15-20 munud
nes y bydd wedi crimpio. Bwytewch â brocoli
neu bys.

Cynnyrch Llaethdai Cymru yn y marchnadoedd
Welsh Dairy Produce in the markets

ANGLESEY EGGS (T)

Serves 4

6 small leeks, chopped and cooked
450 g/1 lb hot mashed potatoes
75 g/3 oz butter
salt and black pepper
1 tablespoon flour
275 ml/half pint hot milk
75 g/3 oz Cheddar cheese, grated
8 hard boiled eggs, halved
2 tablespoons fresh breadcrumbs
grated nutmeg

Pre-heat the oven (gas mark 4/350°F/180°C).
In a bowl, combine the leeks, mashed potatoes,
half the butter and season with salt and black
pepper before beating well. Place in a buttered,
ovenproof dish.

Make the cheese sauce by melting 25 g/1 oz of
the butter in a small pan, add the flour, stir and
cook for 2 minutes over a low heat. Stir in the
milk, add the cheese and simmer, stirring, until
it thickens. (Reserve 10 g/half oz of butter and
a little cheese for sprinkling over the finished
dish).

Arrange the halved hard boiled eggs over the
potato and leek mixture. Pour the cheese sauce
over. Mix the reserved cheese with the
breadcrumbs and sprinkle over the sauce. Dot
with the remaining butter and grate a little
nutmeg over. Bake for 15-20 minutes until
nicely browned. Serve with broccoli or peas.

Y Berllan

The Orchard

Y Berllan

The Orchard

Mae llawer o bwdinau traddodiadol Cymreig yn defnyddio'r ffrwythau sydd ar gael yn hwylus mewn gardd a pherllan, neu'n cael eu hel yn y gwyllt. Byddai tartenni a phasteiod ffrwyth, crwmbwl neu stiw yn cael eu paratoi ar danau agored cyn dyfodiad y popty. Nid oes dim a all guro ffrwythau ffres yn eu tymor – gwnewch yn fawr ohonynt!

Mae hel mwyar ac aeron gwyllt eraill yn rhan o brofiad plentyndod ac yn weithgaredd teuluol i'w drysori. Rwy'n dal i gofio mynd i ben y Rhos yn Llangeler gyda'm basged i gasglu llysi (llys) a dod adref gyda gwefusau porffor cyn mwynhau tarten llysi duon bach Mam-gu a oedd â blas y tu hwnt i'r ddaear hon! Byddai'n rhaid cadw tarten fwyar i'w rhewi a'i bwyta adeg y Nadolig hefyd.

Yn y rhan fwyaf o ffermydd ceid 'popty mawr' neu 'ffwrn wal', sef popty dwfn, hanner crwn weithiau, wedi'i adeiladu yn wal garreg y gegin waith agosaf at y tŷ. Rhyw unwaith yr wythnos câi ei lenwi â phriodhwal, sef priciau mân, coesau coed eithin ac ati, a'i danio nes byddai'r goelcerth yn cochi cerrig y waliau. Ar ôl glanhau gweddillion y tân, llenwid y ffwrn â bara a'u crasu. Wedi tynnu'r bara ohono, byddai digon o wres yn y popty o hyd i bobi pwdin. Y ffefryn ar yr hen ffermdai fel arfer oedd pwdin reis mewn padell fawr – hwn fyddai'r pwdin dydd Sul a'r saig i lond tŷ o gneifwyr neu ddyrnwyr. Byddai Mam-gu yn paratoi pwdin reis bron bob dydd ac yn ei **goginio'n araf yn y ffwrn yng ngwaelod yr Aga** nes bod crwstyn euraidd yn ffurfio ar ei wyneb a phawb yn dadlau tro pwy oedd hi i'w fwyta! Ond nid oedd yn ffefryn gen i pan oeddwn yn blentyn a chawn fy ngorfodi i'w fwyta cyn mynd i'r Ysgol Sul yn y pnawn. Un tro, roedd pawb yn methu'n lân â deall pam oeddwn mor dawel ar ôl cinio tan imi gyrraedd adre o'r Ysgol Sul a Mam yn darganfod fy mod yn dal heb lyncu cegaid o bwdin!

Un arall a fyddai'n cael croeso mawr wrth y bwrdd oedd y 'gacen wy' draddodiadol.

Mae pwdinau siwet wedi cael eu berwi mewn stêm yn fwyd cysurlon iawn yn y gaeaf. Ychwanegwch rai ryseitiau cyfoes sy'n ysgafnach eu natur a dyna ichi ddewis da i fodloni unrhyw ddant.

Many traditional Welsh puddings use fruit readily available in the garden and orchard, or that growing wild. Fruit pies and tarts, crumble or stew were prepared on open fire before the arrival of the oven. Nothing beats fresh fruit in its season – make the most of it!

Picking blackberries and other wild berries was part of my childhood experience and a family activity to be treasured. I still remember going to the Rhos in Llangeler with my basket to pick bilberries, returning home with purple lips to enjoy Grandmother's bilberry tart that tasted out of this world! We also had to freeze a blackberry tart to enjoy at Christmas.

In most farms there was a 'large' or 'wall' oven, a deep oven, sometimes semi-circular in shape, built into the stone wall in the kitchen. Once a week it was filled with small twigs, gorse bush branches and stumps etc. before being lit and the heat of the bonfire would turn the stone walls red. After removing the remnants of the fire the oven would be filled with dough to be baked. When the bread was ready there was still enough heat in the oven to bake a pudding. The favourite on the old farms was usually rice pudding in a large pan – this was the pudding on Sunday and a dish for a house full of shearers or threshers.

Grandmother would prepare rice pudding nearly every day, baking it slowly in the oven at the bottom of the Aga until a golden crust had formed and everyone would debate whose turn it was to eat it! It wasn't a favourite of mine when I was a child and I would be forced to eat it before going to Sunday School in the afternoon. On one occasion, everyone was bemused why I was so quiet after lunch until I came home from Sunday School, only to find out that I still had not swallowed a mouthful of pudding!

Another dish that was always welcome at the table was the traditional 'egg custard tart'.

Steamed suet puddings were comfort foods during the winter. Add a few modern recipes that are a little lighter in nature and you have a good choice to please anyone.

PWDIN REIS (T)

llond cwpan de o reis
llond cwpan de o siwgwr
2.25 litr/4 peint o laeth
ychydig o halen
ychydig o nytmeg

Rhowch y reis mewn dysgl fawr, tywalltwch ddŵr oer drosto – dim ond digon i'w orchuddio – a'i roi mewn ffwrn weddol boeth. Pan welwch fod y dŵr wedi sychu a'r reis wedi chwyddo, arllwyswch y llaeth i'r ddysgl, ychwanegu'r cynhwysion eraill, eu cymysgu'n dda a gratio ychydig o nytmeg ar wyneb y pwdin. Rhowch yn ôl yn y ffwrn nes y bydd wedi coginio.

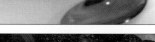

RICE PUDDING (T)

1 cup rice
1 cup sugar
2.25 litres/4 pints milk
a little salt
a little nutmeg

Put the rice in a large bowl, pour cold water over the rice – just enough to cover – and place in a fairly hot oven. When all the water has been absorbed and the rice is swollen, pour the milk into the bowl, add the remaining ingredients, mix well and grate a little nutmeg on top. Return to the oven and bake until cooked.

POTEN FARA (T)

225 g/hanner pwys o fara sych
50 g/2 owns o fenyn
50 g/2 owns o siwgwr
75 g/3 owns o gyrens a syltanas (cymysg)
1 wy
3 llond llwy fwrdd o laeth
hanner llond llwy de o giabi
llond llwy fwrdd o driog melyn
llond llwy de o sbeisys cymysg
llond llwy de o sinsir mâl

Mwydwch y bara am 30 munud cyn gwasgu'r dŵr i gyd ohono. Potshwch â fforc fel na fydd lympiau ynddo o gwbl. Ychwanegwch y menyn wedi'i doddi, yr wy, y triog a gweddill y cynhwysion sych ar wahân i'r ciabi. Yna ychwanegwch y ciabi wedi'i doddi yn y llaeth. Irwch ddysgl, rhoi'r cymysgedd ynddi a chrasu mewn ffwrn weddol boeth.

Crwmbwl riwbob a mefus
Rhubarb and strawberry crumble

BREAD PUDDING (T)

225 g/half lb stale bread
50 g/2 oz butter
50 g/2 oz sugar
75 g/3 oz currants & sultanas (mixed)
1 egg
3 tablespoons milk
half teaspoon bicarbonate of soda
1 tablespoon golden syrup
1 teaspoon mixed spice
1 teaspoon ground ginger

Soak the bread for 30 minutes before squeezing out all the water. Mash with a fork to get rid of all the lumps. Add the melted butter, egg, syrup and all the dry ingredients apart from the bicarbonate of soda. Dissolve the bicarbonate of soda in the milk and add to the mixture. Pour into a greased bowl and bake in a moderate oven.

PWDIN GELLYG A SINSIR

Haen uchaf:

4 gellygen aeddfed wedi'u pilio a'u torri'n ddarnau trwchus
50 g/2 owns o fenyn heb halen
75 g/3 owns o siwgwr muscovado golau

Cacen sinsir:

llond llwy de o bowdwr sinsir
clapyn o sinsir mewn surap wedi'i dorri'n fân
175 g/7 owns o flawd codi
hanner llond llwy de o nytmeg wedi'i gratio
½ llond llwy de o sinamon mâl
2 wy mawr
2 lond llwy fwrdd o driog du
100 ml/4 owns hylifol o laeth
75 g/3 owns o fenyn heb halen wedi'i doddi
150 g/6 owns o siwgwr muscovado golau
pinsied o halen

Paratowch yr haen uchaf drwy guro'r menyn a'r siwgwr yn dda a rhoi'r cymysgedd ar waelod dysgl 24 cm/10 modfedd sy'n dal gwres. Gosodwch y gellyg ar ben y cymysgedd.

I baratoi'r gacen sinsir, rhidyllwch y blawd, y sbeisys a phinsied o halen i bowlen. Curwch yr wyau, y triog, y llaeth, y menyn wedi'i doddi a'r siwgwr gyda'i gilydd ac ychwanegwch y cynhwysion sych ynghyd a'r sinsir mewn surap a'u cymysgu'n dda. Arllwyswch y cymysgedd dros y gellyg gan sicrhau bod y gellyg wedi'u gorchuddio'n gyfan gwbl. Pobwch yn y ffwrn (nwy 4/350°F/180°C) am 40-45 munud neu nes bydd y gacen wedi coginio. Tynnwch o'r ffwrn a gadewch i'r pwdin setlo am 10 munud. Trowch gyllell o gwmpas ochrau'r ddysgl er mwyn rhyddhau ymylon y pwdin. Yna rhowch blât ar ben y ddysgl a'i droi er mwyn troi'r pwdin ben i waered ar y plât. Bwytewch yn dwym gyda hufen a/neu crème fraîche.

Eirin mair
Gooseberry pudding

PEAR AND GINGER PUDDING

Top layer:

4 ripe pears, peeled, cored and cut into large chunks
50 g/2 oz unsalted butter
75 g/3 oz light brown muscovado sugar

Ginger cake:

1 teaspoon ground ginger
1 piece of crystallised ginger in syrup, finely chopped
175 g/7 oz self raising flour
half teaspoon grated nutmeg
½ teaspoon ground cinnamon
2 large eggs
2 tablespoons treacle
100 ml/4 fl oz milk
75 g/3 oz unsalted butter, melted
150 g/6 oz light brown muscovado sugar
a pinch of salt

Prepare the top layer by beating together the butter and sugar. Pour into a greased 24 cm/10 inch ovenproof bowl and arrange the pears on top.

Make the ginger cake. Sift the flour, spices and salt into a bowl. Beat together the eggs, treacle, milk, melted butter and sugar then add the dry ingredients along with the crystallised ginger and mix well. Pour the mixture over the pears, making sure that they are well covered. Bake in a pre-heated oven (gas mark 4/350°F/180°C) for 40-45 minutes or until the cake is firm to the touch. Remove from the oven and leave to settle for 10 minutes. Run a knife along the edge of the bowl then turn the pudding upside down onto a plate. Eat warm with cream and/or crème fraîche.

Pwdin Eryri (T)

225 g/8 owns o siwet
6 wy
40 g/owns a hanner o reis mân
175g/6 owns o siwgwr coch
225g/8 owns o friwsion bara
110g/4 owns o resins (heb gerrig)
175g/6 owns o farmalêd lemwn
croen 2 lemwn wedi'i ratio
pinsied o halen

Cymysgwch y cynhwysion sych i gyd, ar wahân
i ddyrnaid o resins. Curwch yr wyau'n dda a'u
cymysgu i'r cynhwysion sych gyda'r marmalêd.
Rhowch ddyrnaid o resins mewn powlen bwdin
wedi'i hiro cyn arllwys y cymysgedd arnynt.
Gosodwch bapur menyn ar wyneb y bowlen a
berwi'r pwdin am awr a hanner. Bwytewch
gyda menyn melys.

Ffrwythau a Cheirch Crensiog

Digon i 4

250 g/9 owns o afalau wedi'u plicio a'u sleisio
350 g/12 owns o ffrwythau'r haf (mafon, mwyar
*   a.y.b.) wedi'u rhewi*
110 g/4 owns o siwgwr demerara
90 g/3½ owns o fenyn wedi'i doddi
40 g/1½ owns o flawd plaen
75 g/3 owns o geirch

Twymwch y ffwrn (nwy 5/375°F/190°C).
Rhowch yr afalau a ffrwythau'r haf mewn dysgl
gron 18 cm/7 modfedd sy'n dal gwres, wedi'i
hiro. Ysgeintiwch 50 g/2 owns o'r siwgwr ar
ben yr afalau. Mewn dysgl arall cymysgwch y
blawd, y ceirch a gweddill y siwgwr,
ychwanegwch y menyn wedi'i doddi a
chymysgu'r cyfan yn dda. Arllwyswch y
cymysgedd dros yr afalau. Pobwch am 35
munud nes bydd y ffrwythau wedi'u coginio a
wyneb y pwdin yn euraidd.

Snowdonia Pudding (T)

225 g/8 oz suet
6 eggs
40 g/1½ oz ground rice
175 g/6 oz brown sugar
225 g/8 oz breadcrumbs
110 g/4 oz stoned raisins
175 g/6 oz lemon marmalade
grated zest of 2 lemons
a pinch of salt

Mix all the dry ingredients, reserving a handful
of raisins. Beat the eggs well and mix into the
dry ingredients with the marmalade. Place the
reserved raisins in a greased pudding bowl and
pour the mixture on top. Cover with buttered
greaseproof paper and boil for 1½ hours. Serve
with white sauce.

Oaty Fruit Crisp (T)

Serves 4

250 g/9 oz cooking apples, peeled and sliced
350 g/12 oz frozen summer fruits
110 g/4 oz demerara sugar
90 g/3½ oz butter, melted
40 g/1½ oz plain flour
75 g/3 oz porridge oats

Pre-heat the oven (gas mark 5/375°F/190°C).
Put the prepared apples and berries in a
greased 18 cm/7 inch round ovenproof dish
and sprinkle with 50 g/2 oz of the sugar. In a
separate bowl, mix together the flour, oats and
the remaining sugar and stir in the melted
butter until evenly mixed. Pour over the apples.
Bake for 35 minutes until the fruit is cooked
and golden on top.

EIRIN CYNNES MEWN GWIN MAFON

Digon i 4

12 o eirin ffres wedi'u haneru, heb y cerrig
570 ml/peint o ddŵr
110 g/4 owns o siwgwr aur
2 ddarn mawr o groen oren (yn ôl eich dewis)
1 coesyn sinamon
1 goden fanila
1 seren anis
1 ddeilen llawryf
275 ml/10 owns hylifol o win mafon
     Celtic Country Wines

Poethwch y ffwrn (nwy 4/350°F/180°C).
Rhowch y dŵr a'r siwgwr mewn sosban weddol
fawr ar dân cymedrol a'u cymysgu nes bod y
siwgwr wedi toddi. Ychwanegwch y sbeisys, y
ddeilen llawryf a'r croen oren. Berwch yn frwd,
heb gaead, am 20 munud neu nes bydd y surap
wedi lleihau i'w hanner. Tynnwch oddi ar y
gwres ac ychwanegwch y gwin. Rhowch yr eirin
mewn dysgl sy'n dal gwres ac arllwys y surap
drostynt. Gorchuddiwch â ffoil a'u rhoi yn y
ffwrn am 20-30 munud nes bydd yr eirin wedi
coginio. Bwytewch yn gynnes.

WARM PLUMS IN RASBERRY WINE

Serves 4

12 fresh plums, halved and stoned
570 ml/1 pint water
110 g/4 oz light brown sugar
2 large pieces of orange rind (optional)
1 cinnamon stick
1 vanilla pod
1 aniseed star
1 bay leaf
275 ml/10 fl oz Celtic Country Wines raspberry
     wine

Pre-heat the oven (gas mark 4/350°F/180°C).
Pour the water and sugar into a medium sized
saucepan and stir until dissolved. Add the
spices, bay leaf and orange rind. Boil rapidly,
uncovered, for 20 minutes until the syrup has
reduced by half. Remove from the heat then
add the wine. Arrange the plums in an
ovenproof bowl and pour over the syrup. Cover
with aluminium foil and bake for 20-30
minutes until cooked. Serve warm.

Tarten a hufen; cacen gaws
Tart and cream; cheesecake

Y Pantri Cymreig

The Welsh Pantry

Y Pantri Cymreig

Mae jamio, piclo, gwneud catwad neu shiwtni a throi trwyth a sudd ffrwythau yn ddiodydd ysgafn neu'n gwrw a gwin yn hen, hen grefft. Ers dyddiau cynnar iawn, mae dynoliaeth wedi dysgu sut i gadw gormodedd un tymor er mwyn ei ddefnyddio yn ystod y tymhorau dilynol drwy ychwanegu olew, finegr, siwgwr, mêl neu alcohol. Ydi, mae hyn yn taflu'r gegin â'i thraed i fyny am gyfnod – ond mae boddhad mawr i'w gael o ddefnyddio ffrwythau gwyllt neu gynnyrch gardd a pherllan a fyddai'n mynd yn wastraff fel arall. Roeddwn wrth fy modd yn yfed *ginger beer* Mam-gu ac yn ei gwylio'n ofalus yn ei baratoi gyda sinsir ffres, dynad a dail gwyllt eraill. Rwy'n dal i gofio sŵn y cyrc yn hedfan yn y pantri wrth i'r ddiod ffrwydro!

Roedd medd, sef cwrw mêl, yn ddiod draddodiadol ymysg yr hen Gymry. Mae llawer o gyfeiriadau ato yn ein barddoniaeth gynnar; hon oedd diod y tywysogion a'r rhyfelwyr. Arferid bragu medd yn yr hydref fel rheol, ar ôl gwagio'r cychod gwenyn, fel bod y cynnyrch cyntaf yn barod ar gyfer y Nadolig, ond roedd y medd gorau yn cael ei gadw am flwyddyn cyn ei yfed.

Ychydig o rawnwin a dyfir yng Nghymru, er bod gwinllanoedd sy'n cynhyrchu gwin gwyn, rhuddgoch, coch a phefriog i'w cael ym mhob cwr o'r wlad erbyn hyn. Ond mae digon o ryseitiau gwin ar gyfer ffrwythau megis eirin, aeron ysgaw, riwbob, mwyar duon a blodau'r ysgaw. Mae cwrw cartref yn dal i gael ei fragu yn y dull traddodiadol yn ne-orllewin Cymru o hyd – mae'r ryseitiau'n perthyn i ffermydd penodol ac yn cael eu trysori fel cyfrinachau sy'n rhan o ewyllys y penteulu! Bydd eithin a chynhwysion dirgel eraill yn cael eu hychwanegu weithiau, sy'n ategu'r hen straeon mai'r tylwyth teg a ddysgodd y grefft o facsu cwrw i'r hen Gymry.

Heddiw, does dim yn well na chyfuno blasau. Wrth gael y pantri'n llawn o ffrwythau a gwinoedd cadw, gellir arbrofi drwy eu hychwanegu at ryseitiau cyffredin er mwyn rhoi dipyn bach o gic iddyn nhw.

The Welsh Pantry

Making jams, pickles and chutneys and creating cordials, beers and wines out of fruit juices and infusions are ancient crafts. Since very early times, mankind has learnt how to store a plentiful supply in one season to be used during less bountiful seasons by adding oil, vinegar, sugar, honey or alcohol. Yes, this creates havoc in the kitchen for a while – but there is great pleasure to be had from using wild flowers or produce from the garden or orchard that would otherwise go to waste. I enjoyed Grandmother's ginger beer and would watch carefully as she prepared it with fresh ginger, nettles and other wild leaves. I still remember the sound of the corks flying in the pantry as the liquid exploded!

Mead, honey beer, was a traditional beverage for the ancient Welsh. There are many references to it in our early poetry; it was the drink of princes and soldiers. Mead was usually brewed in the autumn, after emptying the beehives, so it would be ready in time for Christmas, but the best mead could be stored for a year before being drunk.

Few vines are grown in Wales, even though vineyards producing white, rose, red and sparkling wines are found in all parts of the country today. But there are plenty of wine recipes for fruit such as plum, elderberry, rhubarb, blackberry and elderflower. Today in south-west

Wales, beer is still brewed at home using traditional methods – farms have their own individual recipes that are treasured and kept as a secret that should form part of the head of the household's will! Gorse and other secret ingredients are sometimes added, reinforcing ancient legends that it was the fairies who taught the Welsh people how to brew.

Today, there's nothing better than combining flavours. By having a pantry full of preserved fruits and wines one can experiment by adding them to common recipes to add another dimension.

TAFFI TRIOG (LOSIN DU) (T)

225 g/8 owns o siwgwr coch demerara
110 g/4 owns o driog
110 g/4 owns o driog melyn
40 g/owns a hanner o fenyn
pinsied o bowdwr tartar
llond llwy de o finegr

Irwch dun sy'n mesur 15 x 10 cm/6 x 4 modfedd a 2 cm/modfedd o ddyfnder. Twymwch y menyn, y siwgwr, y triog, y triog melyn a'r powdwr tartar mewn sosban drom, neu'n well byth mewn sosban ddwbl, ar wres isel. Cymysgwch nes bod y siwgwr wedi toddi. Dewch â'r cyfan i'r berw ac ychwanegu'r finegr. Gadewch y taffi ar y tân heb ei droi nes bydd yn barod, h.y. ei dymheredd yn 270°F ar thermomedr siwgwr neu pan fydd diferyn o'r taffi yn frau pan gaiff ei ollwng i gwpanaid o ddŵr oer. Arllwyswch i'r tun a'i adael i oeri. Torrwch yn ddarnau.

JAM RIWBOB A SINSIR (T)

1.35 cilo/3 phwys o riwbob ffres
1.35 cilo/3 phwys o siwgwr gwyn bras
110 g/4 owns o sinsir crisial wedi'i dorri'n
* ddarnau mân*
25 g/owns o sinsir ffres

Golchwch a thorrwch y riwbob yn ddarnau tua 2.5 cm, eu rhoi mewn powlen ac ysgeintio'r siwgwr drostynt. Gorchuddiwch a'u gadael dros nos. Y diwrnod canlynol rhowch y riwbob mewn sosban gyda'r sinsir crisial. Cleisiwch y sinsir ffres, ei roi mewn cwdyn mwslin a'i daro yn y sosban. Rhowch y sosban ar dân gymedrol a dod â'r cyfan i ferw yn araf, gan droi'r cymysgedd o dro i dro nes bod y siwgwr wedi toddi. Codwch y gwres a berwi'r jam nes bydd yn barod. Gadewch i'r jam oeri am tua 15 munud cyn ei arllwys i botiau twym wedi'u steryllu a rhoi caead arnynt yn syth.

Cynnyrch y pantri yn y marchnadoedd
Pantry produce at the markets

TREACLE TOFFEE (T)

225 g/8 oz demerara sugar
110 g/4 oz black treacle
110 g/4 oz golden syrup
40 g/1½ oz butter
a pinch of cream of tartar
1 teaspoon vinegar

Butter a tin measuring 15 x 10 cm/6 x 4 inch and 2 cm/1 inch deep. Heat the butter, sugar, treacle, syrup and cream of tartar in a heavy-based saucepan, or better, a double saucepan, over a low heat. Stir until all the sugar has dissolved. Bring to the boil and add the vinegar. Continue heating, without stirring, until the brittle point is reached, i.e. a sugar thermometer registers 270°F or a few drops of the toffee mixture become brittle when poured into a cup of cold water. Pour into the tin and leave in a cool place to set. Break into pieces.

RHUBARB AND GINGER JAM (T)

1.35 kg/3 lb rhubarb
1.35 kg/3 lb granulated sugar
110 g/4 oz crystallised ginger, cut into small
  pieces
25 g/1 oz fresh ginger

Trim, wash and cut the rhubarb into 2.5 cm pieces. Put into a bowl with the sugar, cover and leave overnight. The next day, pour into a pan and add the crystallised ginger. Bruise the fresh ginger before putting it in a muslin bag and add to the pan. Bring slowly to the boil over a medium heat, stirring occasionally until all the sugar has dissolved, then boil rapidly until setting point is reached. Leave to cool for about 15 minutes. Pour the jam into warm sterilised jars and seal immediately.

DIOD DANADL POETHION (T)

225 g/hanner pwys o ddanadl poethion ifainc
110 g/4 owns o hopys
225 g/hanner pwys o siwgwr
lemwn wedi'i sleisio
25 g/owns o sinsir
25 g/owns o bowdwr tartar
ychydig o furum

Rhowch y danadl poethion a'r hopys mewn dŵr a'u berwi'n dda. Hidlwch y trwyth a'i adael i oeri i wres gwaed cyn rhoi'r cynhwysion eraill ynddo. Yna ychwanegwch ychydig o furum a'i adael i 'weithio' dros nos. Hidlwch y ddiod i boteli a'i chadw am ychydig cyn ei hyfed.

CORDIAL BLODAU YSGAWEN (T)

Digon i lenwi 2 botel 750 ml

1.35 cilo/3 phwys o siwgwr
15-20 o flodau ysgawen
2 oren wedi'u sleisio'n denau
2 lemwn wedi'u sleisio'n denau
2 leim wedi'u sleisio'n denau
40 g/owns a hanner o asid tartarig neu asid sitrig

Rhowch 1.5 litr o ddŵr gyda'r siwgwr mewn sosban a thoddi'r siwgwr cyn dod â'r dŵr i ferw. Ychwanegwch y blodau a berwi'r dŵr unwaith eto. Diffoddwch y gwres yn syth. Rhowch y ffrwythau mewn bowlen neu jwg. Ychwanegwch yr asid tartarig ac arllwyswch y surap poeth a'r blodau sydd ar ôl drostyn. Cymysgwch yn dda a rhowch gaead ar y cyfan. Gadewch am 24 awr. Hidlwch y ddiod i boteli cynnes wedi'u steryllu ac yna'u selio. Gellir cadw'r cordial hwn am fis neu ddau mewn oergell. Gellir ei rewi hefyd a bydd yn cadw am flynyddoedd – ond cofiwch ei roi mewn poteli plastig. Yfwch y ddiod gyda dŵr pefriog a sgleisen o lemwn.

Mêl Cymreig
Welsh honey

NETTLE WINE (T)

225 g/half lb young nettle leaves
110 g/4 oz hops
225 g/half lb sugar
sliced lemon
25 g/1 oz ginger
25 g/1 oz tartar powder
a little yeast

Put the nettles and hops in water and boil rapidly. Strain the infusion and let it cool to body temperature before adding the other ingredients. Then add a little yeast and leave to 'work' overnight. Filter into bottles and keep for a while before drinking.

ELDERFLOWER CORDIAL (T)

2 x 750 ml bottles

1.35 kg/3 lb sugar
15-20 elderflowers
2 oranges, thinly sliced
2 lemons, thinly sliced
2 limes, thinly sliced
40 g/1½ oz tartaric acid or citric acid

Pour 1.5 litres of water into a pan along with the sugar. Melt the sugar then bring to the boil. Add the flowers and boil once more. Turn off the heat immediately. Place the fruit in a bowl or jug, add the acid, hot syrup and remaining flowers. Mix well, cover and leave to infuse for 24 hours. Pour through a sieve into warm sterilised bottles, then seal. The cordial will keep for a month or two in the refrigerator. It can also be frozen and lasts for years – but remember to use plastic bottles. Add to sparkling mineral water with a slice of lemon.

SIWTNI POMPIWN / CATWAD PWMPEN

pompiwn/maro 2½ pwys
25 g/owns o halen
110 g/4 owns o winwns
110 g/4 owns o resins
110 g/4 owns o syltanas
110 g/4 owns o gwrens
110 g/4 owns o siwgwr coch
10 g/hanner owns o sinsir mâl
25 g/owns o hadau mwstard
275 ml/hanner peint o finegr

Piliwch y pompiwn, tynnu'r hadau a thorri'r
cnawd meddal yn giwbiau. Ysgeintiwch halen
drostynt a'u gadael am 24 awr. Piliwch a
thorrwch y winwns. Mudferwch yn araf mewn
dŵr nes eu bod yn feddal. Tynnwch y cerrig o'r
resins. Golchwch a sychwch y ffrwythau.
Hidlwch y dŵr a golchwch y pompiwn.
Rhowch yr holl gynhwysion yn y sosban a'u
mudferwi am 2 awr nes bod gennych
gymysgedd trwchus. Arllwyswch i dri photyn
hanner cilo/pwys wedi'u steryllu. Seliwch y
potiau a'u gadael am ddau fis cyn bwyta'r
siwtni.

JAM MWYAR DUON (T)

ychydig dros 3 cilo/7 bwys o fwyar duon
ychydig dros 3 cilo/7 bwys o siwgwr
llond llwy gawl o ddŵr oer

Rhowch y mwyar mewn sosban fawr,
ychwanegu'r dŵr a'u gadael mewn lle cynnes
am rai oriau. (Ar y pentan wrth ochr y tân y
rhoddid hwy gynt.) Dylid rhoi tro i'r ffrwythau
bob hyn a hyn er mwyn i'r sudd ddod ohonynt.
Rhowch y sosban ar y tân a phan welir bod y
ffrwythau bron â chodi i'r berw, ychwanegwch
y siwgwr a berwi'r cyfan yn gyflym am dri
munud yn unig. Rhowch y jam mewn potiau
cynnes ar ôl iddo glaearu

Blas ar fwydydd cadw Cymreig
A selection of Welsh preserves

MARROW CHUTNEY (T)

1.125 kg/2½ lb marrow
25 g/1 oz salt
110 g/4 oz onions
110 g/4 oz raisins
110 g/4 oz sultanas
110 g/4 oz currants
110 g/4 oz brown sugar
10 g/half oz ground ginger
25 g/1 oz mustard seeds
275 ml/half pint vinegar

Peel the marrow, remove the seeds and cut the
soft flesh into cubes. Sprinkle with salt and
leave to stand for 24 hours. Skin and dice the
onions. Simmer gently in water until tender.
Stone the raisins. Wash and dry the fruit. Drain
and wash the marrow. Add all the ingredients
to the pan and simmer for 2 hours until the
mixture is thick. Pour into 3 hot sterilised half
kg/1 lb jars. Seal and leave for 2 months before
eating.

BLACKBERRY JAM (T)

a little over 3 kg/7 lb blackberries
a little over 3 kg/7 lb sugar
1 soup spoon cold water

Put the blackberries in a large pan, add the
water and leave to stand in a warm place for a
few hours. (In the olden days it was left to
stand on the chimney-corner.) Stir the fruit
now and then so that the juices seep out. Cook
gently at first and when it starts to boil, add the
sugar and boil rapidly for just 3 minutes. After
it has been left to cool a little, pour the jam into
hot jars and seal.

MEDD (T)

25 g/1 owns o hopys sych
1.8 cilo/4 pwys o fêl (newydd ei dynnu o'r cwch
    gwenyn)
9 litr/2 alwyn o ddŵr
25 g/1 owns o furum wedi'i daenu ar dost

Arllwyswch y dŵr dros y mêl a'r hopys a'u
berwi'n araf am awr. Yna hidlwch y trwyth i
badell a'i adael i glaearu cyn rhoi'r burum ar ei
wyneb. Cymysgwch y trwyth yn dda fore
trannoeth a thynnu'r tost ohono.
Gorchuddiwch y badell â lliain a'i rhoi o'r
neilltu am bum niwrnod cyn hidlo'r trwyth
drachefn a'i roi mewn poteli. Gadewch i'r
burum orffen 'gweithio' cyn rhoi corcyn yn
dynn yng ngheg pob potel. Dylid cadw'r medd
am flwyddyn cyn ei yfed.

CWRW BACH (T)

Rhowch 5½ litr/10 peint o ddŵr, 3 dwsin o
flodau dant y llew, 3 dwsin o ddail poethion,
6 clapyn o sinsir wedi'i bwyo, 3 coesyn riwbob,
ychydig o bennau cwrens a 2 ddyrnaid fawr o
hopys i ferwi am hanner awr. Hidlwch y cyfan
ac ychwanegu 450 g/pwys o siwgwr coch
demerara, ei droi, ac yna ychwanegu
3½ litr/6 pheint o ddŵr oer. Pan mae'n glaear
ysgeintiwch 25 g/1 owns o furum ar yr wyneb.
Gadewch dros nos cyn ei hidlo a'i botelu.
Byddai pobol cefn gwlad yn arfer rhoi sbrigyn o
wermod, a ystyrid yn donig da, yn y ddiod.

Cwrw a seidr cartref
Homebrewed beer and cider

MEAD (T)

25 g/1 oz dried hops
1.8 kg/4 lb honey (freshly extracted from the
    beehive)
9 litres/2 gallons water
25 g/1 oz yeast, spread on a piece of toasted bread

Pour the water over the honey and hops and
boil for 1 hour. Strain the infusion into a pot
and leave to cool before placing the yeast on
the surface. The following morning, remove the
bread and stir the infusion well. Cover with a
cloth and put aside for 5 days, then strain once
more and pour into bottles. Leave the yeast to
finish 'working' before corking tightly. The
mead should be left for one year before
drinking.

ALE – STRONG, FINE BEER (T)

Boil together for half an hour
5½ litres/10 pints of water,
3 dozen dandelions, 3 dozen nettles,
6 sticks of pounded ginger, 3 sticks of rhubarb,
some currant tops and 2 large handfuls of hops.
Strain and add 450 g/1 lb demerara sugar, stir,
then add 3½ litres/6 pints of cold water. When
lukewarm sprinkle 25 g/1 oz of yeast over the
surface. Leave overnight, skim and bottle.
Country people would add a sprig of
wormwood, which was considered to be a good
tonic.

Argraffiad cyntaf: 2009

© Nerys Howell/Gwasg Carreg Gwalch

Rhif rhyngwladol: 978-1-84527-234-0

Cynllun clawr: vivian@vwdesign.co.uk

Mae'r cyhoeddwr yn cydnabod cefnogaeth
ariannol Cyngor Llyfrau Cymru

Cyhoeddwyd gan Wasg Carreg Gwalch,
12 Iard yr Orsaf, Llanrwst, Conwy, LL26 0EH.
Ffôn: 01492 642031
Ffacs: 01492 641502
e-bost: llyfrau@carreg-gwalch.com
lle ar y we: www.carreg-gwalch.com

First published in 2009

© Nerys Howell/Gwasg Carreg Gwalch

ISBN: 978-1-84527-234-0

Cover design: vivian@vwdesign.co.uk

Published with the financial support of the
Welsh Books Council

Published by Gwasg Carreg Gwalch,
12 Iard yr Orsaf, Llanrwst, Wales LL26 0EH
tel: 01492 624031
fax: 01492 641502
email: books@carreg-gwalch.com
website: www.carreg-gwalch.com